SECRETOS *de* LONGEVIDAD

SECRETOS *de* LONGEVIDAD

CONSEJOS PARA VIVIR HASTA LOS 100

DR. MAOSHING NI

ONIRO

Título original: *Secrets of Longevity*

Traducción de Joan Carles Guix

Distribución exclusiva:
Ediciones Paidós Ibérica, S.A.
Avda. Diagonal 662-664, Planta Baja - 08034 Barcelona - España
Editorial Paidós, S.A.I.C.F.
Defensa 599 - 1065 Buenos Aires - Argentina
Editorial Paidós Mexicana, S.A.
Rubén Darío 118, col. Moderna - 03510 México D.F.- México

© 2007 exclusivo de todas las ediciones en lengua española:
   Ediciones Oniro, S.A.
   Muntaner 261, 3.° 2.° - 08021 Barcelona - España
   (oniro@edicionesoniro.com - www.edicionesoniro.com)

ISBN: 978-84-9754-263-0
Depósito legal: B-5.587-2007

Impreso en Hurope, S.L.
Lima, 3 bis - 08030 Barcelona

Impreso en España - *Printed in Spain*

Índice

Introducción

El deseo de supervivencia es connatural al ser humano. Como animales, reaccionamos instintivamente para protegernos ante el peligro. Como organismos, el cuerpo reúne defensas naturales para combatir las enfermedades y curar las heridas. Como seres sociales, tenemos la esperanza de ver nacer y crecer las nuevas generaciones. Contemplamos las diferencias aparentemente misteriosas entre individuos (¿Por qué algunas personas sucumben a los síndromes relacionados con la edad a los sesenta años mientras otros viven más de cien?). E incluso más misteriosos nos parecen los eventos atribuidos al «destino», cuando personas sanas mueren a causa de accidentes o sucesos inesperados.

Personalmente, tuve una razón especial para implicarme en tales cavilaciones. A raíz de una caída accidental desde el tejado de nuestra casa de tres plantas a los seis años, estuve un mes en coma, del cual, por suerte, desperté. Mi padre era doctor en medicina china y máster en artes taoístas. Él y mi madre se encargaron de mi rehabilitación. Aún recuerdo aquellos tés de hierbas de sabor insoportable, el agotador tai chi temprano por la mañana y las prácticas de qigong, las sesiones diarias de acupuntura, las disciplinas de la meditación y la dieta especial.

El conocimiento que me devolvió la salud procedía de miles de años de tradición china de curación y rejuvenecimiento, y prometí convertirme en médico y divulgar esta tradición a la que debo la vida.

En 1985, durante mi posgraduado en Shanghai, pude contemplar a innumerables personas de edad avanzada que se congregaban cada día en los parques, al alba, para estimular la energía con tai chi y qigong. Entrevisté a muchas de aquellas personas e incluso examiné a algunas de ellas. Un buen número superaba la edad de cien años. Me asombraba su agilidad, lucidez, vitalidad y estado de salud en general. Esta experiencia me inspiró a explorar un enfoque preventivo de la salud, el principio de una investigación de veinte años con personas centenarias y la ciencia de la longevidad. Los descubrimientos que realicé a lo largo del camino llenan este libro. Combinando la sabiduría oriental con los últimos avances científicos occidentales, *Secretos de longevidad* ofrece consejos de eficacia probada, fruto de una cuidadosa investigación para vivir más años, más sano y más feliz.

Para prolongar tu vida y mejorar su calidad, no te preocupes por si en el pasado no te cuidaste. Lo que realmente importa es lo que hagas a partir de ahora, pues podrás influir positivamente en tu salud y longevidad.

Las causas de las enfermedades asociadas a la edad van desde la muerte celular preprogramada genéticamente hasta su destrucción a causa de toxinas presentes en el medio ambiente y fibras que obturan las arterias. Todos tenemos genes que se activan como resultado de nuestro estilo de vida y del entorno. La longevidad depende de si expresamos durante la vida nuestra buena o mala predisposición genética.

Por desgracia, la sociedad occidental no facilita el aumento de este potencial. Nuestra cultura orientada a la juventud y la negligencia con los mayores niegan las realidades del envejecimiento. El mercado está saturado de productos que prometen hacernos sentir y parecer más jóvenes. La medicina occidental se centra en el tratamiento y la terapia de sustitución, prescribiendo fármacos caros, extirpando órganos dañados y trasplantando otros nuevos, o reabasteciendo una hormona agotada, con escaso énfasis en la prevención de la enfermedad y el mantenimiento de un óptimo estado de salud.

Por contra, la prevención y el bienestar han sido siempre el corazón de la medicina oriental. Desde tiempos remotos, los médicos orientales consideran las enfermedades como síntomas de desequilibrios en la vida. De ahí que prefieran fomentar la salud a través de la dieta, el estilo de vida y el bienestar emocional. Asimismo emplean una variedad de terapias naturales como la acupuntura, la fitoterapia, el bodywork, el tai chi, el yoga y la meditación para tratar la mente, el cuerpo y el espíritu. Este enfoque capacita al individuo en su búsqueda de salud y bienestar.

Otro aspecto importante de la longevidad es la curación. En un momento determinado, y debido a factores que escapan a nuestro control, puedes enfermar, y la forma en que trates la enfermedad influirá significativamente en tu longevidad. Así pues, te aconsejo que reúnas un equipo de profesionales competentes para un seguimiento periódico de tu salud, dispuestos a integrar tradiciones médicas complementarias como la acupuntura y la fitoterapia y que dediquen el tiempo necesario a informarte, responder a tus preguntas y guiarte hacia el logro de tus objetivos de longevidad. A medida que leas este libro, toma conciencia de tu salud y busca un tratamiento antes de que aparezca una enfermedad grave.

Los consejos en esta obra se dividen en cinco capítulos: «Qué comes», «Cómo te curas», «El lugar donde estás», «Qué haces» y «Quién eres». Si cuidas estos aspectos de tu vida, podrás introducir los cambios necesarios para potenciar tu energía, mejorar la memoria, enfriarte menos, estar más relajado, dormir mejor, gozar de una sexualidad más placentera, enfermar menos y otros muchos beneficios. El capítulo 6, «La mezcla», resume los anteriores y te anima a convertir las técnicas de salud y las prácticas de vida aprendidas en la experiencia gozosa y relajada de ser quien eres. Con disciplina y predisposición a probar los múltiples consejos de *Secretos de longevidad*, cualquiera que desee vivir más años, más sano y más feliz tiene posibilidad de conseguirlo.

CAPÍTULO I: Qué Comes
Dieta y Nutrición

«He oído decir que en tiempos remotos todos vivían cien años sin
mostrar los signos habituales de envejecimiento. Sin embargo,
hoy en día la gente envejece prematuramente, viviendo sólo
cincuenta. ¿Se debe al entorno o a que el ser humano ha perdido
el Camino?», preguntó el Emperador Amarillo.

Qibo, el médico de la corte, respondió: «En el pasado, la gente
practicaba el Camino. Comprendían el principio del equilibrio
del yin y el yang, y realizaban prácticas tales como la
meditación para mantener la armonía con el universo. Se
alimentaban con dietas equilibradas, comiendo a intervalos
regulares, se levantaban y acostaban a horas asimismo
regulares, evitaban la sobrecarga del cuerpo y la mente, y
refrenaban todo exceso. Mantenían el bienestar en el cuerpo y la
mente. No es, pues, de extrañar que vivieran más de cien años».

«Hoy en día, la gente ha cambiado de hábitos. Beben vino
como si fuera agua, comen en exceso y se abandonan a
innumerables comportamientos destructivos, drenan su
esencia y malgastan su energía. Siempre en pos de estímulos
emocionales y placeres momentáneos, ignoran el ritmo
natural y el orden del universo. No equilibran su estilo de vida
y su dieta, y sus pautas de sueño son irregulares. Desconocen
los secretos de la conservación de la energía y la vitalidad. No
es, pues, de extrañar que parezcan ancianos a los cincuenta
años y que mueran poco después.»

El Clásico de Medicina del Emperador Amarillo

Este diálogo entre el Emperador Amarillo, el primer gobernante de China, y el médico de la corte tuvo lugar hace alrededor de 4.700 años y aún hoy sigue vigente. Como ha demostrado la ciencia moderna, la calidad y la cantidad del alimento que consumes tendrán un impacto perdurable en la longevidad.

Después de examinar las dietas de aproximadamente cien personas centenarias, he analizado los datos y establecido una correlación con la investigación antienvejecimiento actual. Las dietas y los estudios encajan con las observaciones de aquel médico de la corte. En efecto, la mayoría de los centenarios vivían con escasos medios materiales, y algunos de ellos, más a menudo de lo deseado, practicaban el ayuno.

Su consumo alimentario consistía en buena parte en legumbres, cereales, verduras, frutas, bayas silvestres y semillas. Los carnívoros eran la excepción; prácticamente todos llevaban una dieta semivegetariana. La ciencia occidental ha confirmado que estas prácticas nutricionales sanas contribuyen a la salud y la longevidad.

En este capítulo encontrarás consejos dietéticos y nutricionales, desde alimentos con propiedades antioxidantes hasta prácticas de ayuno para la prolongación de la vida. Eres lo que comes. Así pues, hazlo bien.

À votre santé! (¡A tu salud!)

Come Menos,
Vive Más

Tras haber analizado las dietas de alrededor de cien personas centenarias, he podido comprobar que la mayoría de ellos vivían en circunstancias modestas. Comían menos que la media, y algunos ayunaban de vez en cuando porque eran pobres y no había nada que comer. La mayoría de las personas centenarias estudiadas en todo el mundo sigue la regla de los «tres cuartos»: dejan de comer cuando están llenos en sus tres cuartas partes. Las investigaciones han demostrado que una reducción en la ingesta de calorías puede incrementar la esperanza de vida en los animales. ¿Por qué no en los humanos?

Comidas Más Frugales, Más Frecuentes

«Cargar» el cuerpo con tres comidas diarias es un hábito cultural, pero no una necesidad biológica. En cambio, comer porciones más pequeñas cuatro o cinco veces al día suministra un flujo regular de nutrientes, azúcar en la sangre y energía al cuerpo durante toda la jornada. Además de aligerar los sistemas digestivo y metabólico, las comidas más frugales y más frecuentes evitan la sobrecarga y acumulación excesiva de productos residuales. Asimismo, una ingesta calórica espaciada reduce el riesgo de enfermedades cardiovasculares.

Come Como un Rey de Día
y Como un Pobre de Noche

¿Recuerdas el famoso proverbio «Eres lo que comes»? Pues también se le puede añadir «Eres "cuando" comes». A causa del ritmo circadiano del organismo humano, los mismos alimentos ingeridos en el desayuno o el almuerzo se procesan de forma diferente cuando se ingieren en la cena. Las investigaciones demuestran que, cuando ingieres tus proteínas y grasas diarias en el desayuno, tiendes a perder peso y aumentar la energía, mientras que si lo haces por la noche, durante la cena, ganas peso, sube la tensión arterial y aumenta el riesgo de enfermedades coronarias.

Fin de Semana Vegetariano,
Fin de Semana Carnívoro

En general, los vegetarianos sufren menos enfermedades degenerativas y cánceres que sus homólogos carnívoros. Se ha estimado que un tercio de los pacientes de cáncer desarrollaron la enfermedad como resultado de una cantidad insuficiente de fibra vegetal en la dieta. Esto no significa que tengas que privarte completamente de carne para disfrutar de una vida más prolongada. Limitar la ingesta de carne a los fines de semana es un enfoque equilibrado y saludable.

Siempre «Vivo»: No a los Alimentos «Muertos»

¿Te has preguntado alguna vez de qué está hecho realmente el pan o cuántos kilómetros ha viajado un cogollo de lechuga? Nada mejor que los alimentos frescos y productos biológicos para mantener la salud y el bienestar. Los productos frescos de granja y las carnes se desplazan directamente de la fuente de origen a la mesa: el tiempo transcurrido es mínimo y también la pérdida de nutrientes. Muchos alimentos llegan a los estantes del supermercado varias semanas o incluso meses después de la recolección (verduras) o la matanza (carnes). Se conservan en nitrógeno u otros medios artificiales, que les confieren el aspecto de frescos. Asimismo, los productos tratados con pesticidas y fertilizantes artificiales tienen menor valor nutricional que los de cultivo biológico.

Boniatos y Ñames, Tubérculos Muy Recomendables

Estos excelentes alimentos contienen una cantidad más elevada de betacaroteno y vitamina C que las zanahorias, más proteínas que el trigo y el arroz, y más fibra que los cereales integrales. Asimismo, los boniatos y los ñames son una fuente rica de DHED (dehidroepiandrosterona), una «hormona precursora», una sustancia que permanece latente hasta que se transforma en una hormona necesaria para el organismo. La DHED se puede transformar en estrógeno, progesterona o testosterona, todas ellas hormonas esenciales para el buen funcionamiento de las defensas antienvejecimiento del cuerpo. Sin embargo, a medida que se envejece, los niveles de hormonas precursoras como la DHED caen en picado. Come estos tubérculos durante todo el año y disfruta de una larga vida.

Menos Sal,
Más Años

La sal preserva los alimentos. Esto es algo que bien sabían los marineros cuando se avituallaban de provisiones antes de emprender largos viajes oceánicos. Sin embargo, no preserva nuestra salud. Estudios recientes indican que la ingesta de sal es proporcional al desarrollo de cánceres de estómago, esófago y vejiga. A mayor consumo, mayor riesgo. Asimismo, el sodio interviene en patologías crónicas tales como enfermedades cardiovasculares, hipertensión y osteoporosis. Utiliza otros aderezos, tales como el vinagre, ajo, hierbas y especias, como sustitutos de la sal.

Una Fiesta de Té
Beneficia a Todos los Invitados

El té es la bebida que consumen más habitualmente las personas centenarias en todo el mundo. La propiedad inhibidora del radical libre del té es más potente que la de la vitamina E. Por otra parte, el té es un tratamiento y un preventivo eficaz de la arterioesclerosis (endurecimiento de las arterias). Los polifenoles presentes en el té, especialmente las catequinas, son poderosos antioxidantes que contribuyen a prevenir la diabetes y el cáncer.

El Jengibre
Da Energía

Conocido en Occidente por sus propiedades antieméticas (calma las náuseas), el jengibre tal vez sea el remedio botánico utilizado durante más tiempo en el mundo. Los chinos lo usan con fines médicos y culinarios, a menudo al cocinar marisco, ya que actúa como un desintoxicante que previene el envenenamiento. Además de su popular aplicación en los trastornos digestivos, se ha descubierto que el jengibre contiene geraniol, un potente anticancerígeno. También tiene propiedades antiinflamatorias que contribuyen a aliviar el dolor, previenen los coágulos en la sangre e inhiben la aparición de migrañas. Desde la Antigüedad, los médicos chinos han consumido regularmente té de jengibre para potenciar la vitalidad.

Un Poco de Vino
Resulta Beneficioso

Innumerables investigaciones han confirmado los
beneficios del vino por su elevado contenido de
resveratrol, un antioxidante. Este compuesto, presente en
la piel de la uva, tiene propiedades antiinflamatorias,
reduce el colesterol y previene el cáncer. Asimismo, el
vino evita el espesamiento de la sangre en los vasos
sanguíneos, previene la formación de coágulos y la
acumulación de placa. Un vaso diario de vino es muy
beneficioso para el organismo, aunque si se consume
más, los daños pueden superar los beneficios. Así pues,
bebe vino, pero sólo un poco.

Un Diente de Ajo
Como Dosis Diaria

El aromático ingrediente que se usa para condimentar innumerables platos hace mucho más que abrir el apetito. Los estudios indican que la alicina, el ingrediente activo presente en el ajo, puede prevenir la arterioesclerosis y la oclusión coronaria, reduce el colesterol y el riesgo de formación de coágulos en la sangre, estimula la pituitaria, regula el azúcar en la sangre y previene el cáncer. Como antibacteriano se suele utilizar para tratar infecciones leves. Para contrarrestar su acritud, come un poco de perejil; refresca el aliento.

Pescado
y Ácidos Grasos Omega 3

Si no eres vegetariano, seguro que buscas las opciones
más inteligentes entre las diversas carnes. Pues bien, de
todos los productos de origen animal, el pescado es el más
saludable, debido a su alto contenido en proteínas y bajo
en grasas. Los ácidos grasos omega 3 presentes en el
pescado, además de otros nutrientes, protegen los vasos
sanguíneos, reducen la inflamación, previenen la
hipertensión y mantienen en perfecto estado el aparato
respiratorio. La incidencia de enfermedades
cardiovasculares en las personas que siguen una dieta
principalmente a base de pescado, fruta fresca y verduras,
es prácticamente nula, y las probabilidades de vivir hasta
una edad avanzada son muy elevadas.

El Corazón
y la Manzana

La manzana, una exquisita fruta que se consume en todo el mundo, ha sido desde siempre un símbolo de pasión y tentación, y en la actualidad los científicos han confirmado que también contribuye a mantener el corazón en perfecto estado. Comer dos o tres manzanas al día reduce los niveles de colesterol, gracias a su contenido rico en pectina, una sustancia que también previene el cáncer de colon, una de las principales causas de muerte en los adultos a partir de los sesenta años.

Arroz Integral
para una Vida Larga

El arroz blanco empieza siendo arroz integral. Sin
embargo, una vez eliminada la corteza exterior de fibra,
apenas quedan nutrientes. Hace mil años, los médicos
chinos descubrieron que comer únicamente arroz refinado,
sin la vitamina B de la fibra, aumentaba el riesgo de
contraer beriberi, una deficiencia de tiamina (B_1). Las
investigaciones modernas han identificado un contenido
extraordinario de nutrientes en la corteza fibrosa del arroz
integral, muy eficaz en la reducción de elevados niveles de
azúcar en la sangre; un alimento ideal para los diabéticos.
El arroz integral contiene más de setenta antioxidantes,
incluyendo la vitamina E, la perixodasa de glutatión (GPx),
el superóxido de dismutasa (SOD), la coenzima Q-10
(CoQ-10), proantocianidinas y hexafosfato de inositol
(IP6), todos ellos poderosos antienvejecedores. No es,
pues, de extrañar que los granjeros asiáticos, en las zonas
rurales, que comen arroz integral, ya que el arroz blanco es
demasiado caro, vivan más años y contraigan menos
enfermedades que sus homólogos de las grandes
ciudades, que lo consumen eminentemente refinado.

Bayas, Bayas, qué Buenas Son

Las bayas silvestres abundan en todas las regiones del mundo. Son pequeños frutos de sabores intensos y deliciosos tanto para los animales como para los humanos. La piel roja, azul y violeta de las bayas contiene flavonoides, unos antioxidantes más poderosos que las vitaminas C y E, y más eficaces que la aspirina para reducir la inflamación. La antocianina, un flavonoide, confiere a los arándanos sus propiedades antibacterianas y contribuye a reducir los niveles de colesterol. Sin embargo, son las moras las que, según han demostrado algunos estudios, desarrollan la mayor actividad antioxidante. En efecto, estos frutos poseen propiedades neuroprotectoras capaces de retrasar la aparición del envejecimiento y la pérdida de memoria asociada a la edad, protegiendo las células cerebrales de daños causados por agentes químicos, placa o trauma.

Algas Marinas
para una Dieta Sana

Las algas marinas son plantas de las que desde hace muchísimo tiempo se ha considerado que contribuyen a la longevidad, previenen las enfermedades y aportan salud. Entre los tipos de algas más comunes se incluyen la nori, kombu, kelp, dulse y musgo irlandés. Con un contenido en calcio superior al de la leche, en hierro superior al de la ternera, y más proteínas que los huevos, las algas son asimismo una fuente rica en micronutrientes. Desde siempre se les han atribuido propiedades curativas tales como la reducción de bocio, disolución de tumores y quistes, desintoxicación de metales pesados, reducción de retención de líquidos en el organismo y pérdida de peso. Come algas marinas; son muchísimo más nutritivas que las verduras de tierra.

Crucíferas,
un «10» en Nutrición

Cuando tu madre te decía que tenías que comerte el brécol, en realidad estaba velando por tu longevidad. Las crucíferas son potentes anticancerígenos, siendo el cáncer el «asesino» número uno en las sociedades industrializadas. Estamos hablando no sólo del brécol, sino también de la col china, las coles de Bruselas, la coliflor y la col. Estas plantas contienen fitonutrientes que depuran el organismo de sustancias que son potencialmente cancerígenas. Uno de estos compuestos, el indole-3-carbinol, es un poderoso antiestrógeno que contrarresta el desarrollo canceroso en las células sensibles a los estrógenos presentes en los senos, el colon y la próstata. Las crucíferas también son una buena fuente de betacaroteno, vitaminas C y E, ácido fólico y calcio, en su mayoría también antioxidantes.

¡Cereales, Cereales y Más Cereales!

La fibra de avena (la cáscara del grano de avena), contiene elevadas concentraciones de fibras solubles, que absorben el colesterol y lo canalizan rápidamente a través de los intestinos. Por desgracia, la mayoría de la gente come los copos de avena una vez refinados, con la consiguiente carencia de la preciada fibra, que contiene betaglucanos y saponinas. Los copos de avena integral son además ricos en antioxidantes, que evitan la oxidación del colesterol, el proceso que permite a éste adherirse a las paredes de las arterias.

Otros beneficios: la avena previene el cáncer de colon eliminando los minerales y ácidos tóxicos; equilibra los niveles de azúcar en la sangre frenando la absorción de hidratos de carbono; las saponinas, por su parte, incrementan la producción de «células asesinas» naturales, componente esencial del sistema de vigilancia inmunológica del organismo. Sustituye tus cereales fríos del desayuno por un cuenco tibio de copos de avena integrales. Tu cuerpo te lo agradecerá... durante muchos años.

¿Quieres Adelgazar?
Toma Sopa

La obesidad se ha convertido en una verdadera epidemia en todo el mundo industrializado. Como resultado, los índices de enfermedades coronarias, hemorragia cerebral, infarto, cáncer y diabetes están creciendo a una velocidad alarmante. Un simple cambio dietético puede eliminar el riesgo de pasar a formar parte de las desdichadas estadísticas de mortalidad prematura. Toma sopa por lo menos una vez al día. Una sopa nutritiva baja en sal rehidrata al tiempo que alimenta y contribuye a la eliminación de los productos de residuo del cuerpo. Y lo que tal vez te interese más: quien toma un cuenco o más de sopa a diario pierde más peso que quien ingiere la misma cantidad de calorías, pero sin comer sopa. La sopa casera es la ideal, ya que las envasadas están saturadas de sal y conservantes químicos.

Buena Grasa,
Mala Grasa

Existen tres tipos de grasas: monoinsaturadas, poliinsaturadas y saturadas. No todas las grasas son perjudiciales.

Las monoinsaturadas, como los aceites de oliva, sésamo, canola, almendra, lino y pescado, son beneficiosas. Contienen ácido gamma-linoleico (AGL) y ácidos grasos esenciales omega 3, cruciales en el desarrollo y funcionamiento del cerebro, salud cardiovascular, función inmunológica correcta, salud de la piel, fertilidad y desarrollo físico normal.

Las grasas poliinsaturadas, como la margarina, el aceite de cártamo hidrogenado, el aceite de girasol y el de maíz, entre otros, contienen también ácidos grasos esenciales. Sin embargo, estas grasas, muy refinadas, contienen grandes cantidades de ácidos transgrasos (se producen al hidrogenar los aceites vegetales para diluirlos), que intervienen en las enfermedades cardiovasculares y el cáncer.

Las perjudiciales son las saturadas y los ácidos transgrasos que se producen al freír mantequilla, aceite de palma, de cacahuete, de coco y grasa de cerdo. Elevan los niveles de colesterol y triglicéridos, incrementando las probabilidades de sufrir infartos y hemorragias cerebrales. Evítalas.

Mastica Bien

Para vivir más, cuida el organismo. ¿Cómo? Cada vez que te lleves una porción de alimento a la boca, mastícala por lo menos tres veces antes de tragar. Si lo haces, la enzima amilasa (D-glucano-glucohidrolasa), presente en la saliva, predigiere el alimento en la boca; así el estómago no tiene que trabajar tanto y se acelera el proceso de absorción de vitaminas y nutrientes importantes. Como suelo decir a mis pacientes, el estómago no tiene dientes. Descompone el alimento única y exclusivamente con el jugo y el ácido gástricos. Asimismo, comer demasiado deprisa contribuye a incrementar la producción de ácido, provocando algo tan común como el ardor o acidez de estómago, también conocido como trastorno de reflujo gastroesofágico (TRGE). Otro beneficio derivado de la masticación es que te sentirás lleno comiendo menos, manteniendo un nivel de peso sano.

No «Mates» los Alimentos

Para aprovechar al máximo lo bueno que hay en los alimentos, trátalos con cuidado. Una cocción a fuego alto elimina nutrientes muy importantes. Hervir, por ejemplo, destruye la mitad de las vitaminas presentes en las verduras, y una fritura prolongada de alimentos grasos produce el peor tipo de grasa: los ácidos transgrasos, que pueden obturar las arterias y aumentar el riesgo de cáncer. De modo similar, el riesgo de cáncer puede aumentar si te habitúas a comer carne asada a la parrilla o en la barbacoa hasta que la superficie se haya ennegrecido. Procura no «matar» los alimentos con un fuego excesivo. Cuece ligeramente al vapor, fríe y saltea rápidamente o asa a la parrilla para preservar su valor nutritivo.

Nutrientes
Antioxidantes

El envejecimiento provoca oxidación, lo que significa literalmente «corrosión». A medida que envejeces, se forma «óxido» en todo el organismo, o lo que es lo mismo, una acumulación de productos residuales: ácido úrico de las proteínas digestivas, ácido láctico derivado de la función muscular, carcinógenos ingeridos o inhalados del entorno, que propician la obturación de las arterias y el crujido y dolor de las articulaciones. Los antioxidantes son nutrientes «antióxido» que neutralizan y eliminan los radicales libres que causan daños por oxidación. Entre los nutrientes antioxidantes, el glutatión está considerado como el «súper antioxidante», un compuesto presente en estado natural en los espárragos, aguacates, nueces y pescado. Está formado por tres aminoácidos: glicina, ácido glutámico y cisteína. El glutatión regula las células inmunes, protege contra el cáncer, contribuye a la síntesis y reparación del ADN, facilita la desintoxicación e inhibe la activación del virus VIH latente. Un déficit en glutatión puede ser un factor de diabetes, bajo recuento de espermatozoides, enfermedades hepáticas, trastornos cardiovasculares y envejecimiento prematuro.

Frutos Secos y Semillas,
Eternamente Joven

Basta un puñado de frutos secos y semillas cada día para mejorar la circulación y el tono muscular. La arginina es un aminoácido que se encuentra en la soja y otras vainas, marisco, granos integrales, huevos, lácteos y levadura de cerveza, y es especialmente abundante en los frutos secos y semillas. Es un aminoácido no esencial, una sustancia que produce el organismo en el hígado y que se agota en situaciones de estrés. La arginina es útil en la lucha contra las enfermedades coronarias, impotencia, infertilidad e hipertensión, y facilita el proceso de curación. Es probable que sus propiedades antienvejecimiento residan en su efecto estimulante de la glándula pituitaria, en la base del cerebro. La pituitaria segrega la hormona del crecimiento, que declina rápidamente en los humanos a partir de los treinta y cinco años. Unos niveles más bajos de esta hormona propician la aparición de síntomas de envejecimiento tales como depósitos grasos, reducción de la masa y la fuerza musculares, declive cognitivo y disfunción sexual.

Contraseña
hacia el Tesoro
de la Salud:
¡Ábrete, Sésamo!

El aceite más consumido por los chinos centenarios, el de sésamo, es muy apreciado por su delicado aroma a almendras, pero también tiene propiedades terapéuticas. La medicina china incluye el sésamo como tónico renal y hepático, generador de sangre y protector y regulador intestinal. El sésamo es rico en ácido fítico, un antioxidante que previene el cáncer. Se ha descubierto en laboratorio que el extracto conocido como *sesamin oil*, o lignano, reduce drásticamente los niveles de colesterol en el hígado y el torrente sanguíneo de las ratas. Para potenciar su aroma y mejorar la salud, aderaza la comida con una mezcla de semillas y aceite de sésamo.

Hormona del Crecimiento: Huevos y Cereales

La hormona del crecimiento humano (HCH) ha pasado a ocupar la primera posición en los tratamientos antienvejecimiento, mejorando espectacularmente la vida de muchos pacientes de edad avanzada. Usado principalmente para tratar a niños con un crecimiento retardado, la HCH también mejora los procesos de curación, reparación de tejidos, función cerebral, resistencia ósea, energía y metabolismo en general. Sin embargo, sus beneficios se pagan caros: un constatado incremento del riesgo de cáncer. Sólo recomendaría esta terapia en aquellos pacientes cuyo organismo ya no responde a estímulos naturales (suplementos nutricionales y herbales, acupuntura y ejercicios de regeneración de energía). Aconsejo fomentar la producción natural de HCH con AGAB, o ácido gamma-aminobutírico, un excelente sustituto de la hormona del crecimiento. El AGAB es un aminoácido no esencial presente en la soja y otras vainas, marisco, cereales integrales, huevos, levadura de cerveza, frutos secos y semillas. Sobre todo después del ejercicio, ingerir alimentos ricos en AGAB estimula la secreción de HCH en la pituitaria.

Vigor
y Vinagre

En tu camino hacia la longevidad, fíjate en quienes ya la han alcanzado. El vinagre de sidra ha formado parte de la dieta sana de miles y miles de personas centenarias en todo el mundo. El ácido acético y el ácido butírico fomentan la salud gastrointestinal equilibrando el pH y contribuyendo al crecimiento bacteriano de bífidus. El vinagre tiene propiedades antisépticas y antibióticas, y también ayuda a reinvertir el proceso de arterioesclerosis (endurecimiento de las arterias) y disolver los cálculos biliares.

La Miel,
Antibiótico Natural

Conocida desde siempre por sus propiedades
antibióticas, la miel también es mucho más nutritiva que
el azúcar refinado, carente de las vitaminas y minerales
que contiene la miel natural. Las compresas empapadas
en miel para vendar quemaduras y heridas también
aceleran la curación. Como remedio popular, se ha
recomendado la miel para el tratamiento de úlceras y el
ardor de estómago. Por otra parte, las investigaciones
indican que puede detener el crecimiento de *H. pylori*,
la bacteria responsable de la mayoría de úlceras
gástricas. El ácido cafeico en la miel también previene el
cáncer de colon. Sólo hay que tener cuidado con un
aspecto de este endulzante delicioso, nutritivo y
antibacteriano: la miel natural puede esconder esporas
de botulismo. No se la des nunca a un niño menor
de un año.

El Último Grito
en Alimentos para la Longevidad

En Asia, las setas son muy apreciadas por su sabor y su valor terapéutico por igual. Las leyendas chinas están llenas de historias de quienes descubrieron la Seta de los Mil Años y alcanzaron la inmortalidad. En un museo emplazado en una caverna subterránea de estalactitas, en las afueras de Kunming, China, se exhibe un reishi, una seta ganoderma de 1,20 m de diámetro cuya antigüedad se estima en alrededor de 800 años. Existen más de cien mil variedades de setas, de las cuales aproximadamente setecientas son comestibles. Muchas setas, en particular el shiitake, maitake y reishi, tienen extraordinarias propiedades antienvejecimiento. Dependiendo del tipo, pueden contener polisacáridos, esteroles, coumarin, vitaminas, minerales y aminoácidos que potencian la función inmunológica, reducen los niveles de colesterol, regulan el azúcar en la sangre y protegen el organismo de virus y cánceres. Y, por cierto, ya no es necesario hurgar en la tierra para encontrarlas. Hoy en día se pueden comprar en las tiendas de productos dietéticos y naturales.

Sano
como un Hierbajo

La bardana, o cadillo, se conoce desde la Antigüedad por su capacidad de desarrollo y propagación. En el este de Estados Unidos se extiende como un reguero de pólvora en caminos y colinas. La raíz de la bardana, que recientemente se ha catalogado como adaptógena, una sustancia natural que potencia el cuerpo durante el estrés y los cambios medioambientales, se ha utilizado como alimento y también como medicina en Asia y Europa durante miles de años. Elaborada tradicionalmente en forma de tónico nutritivo para acelerar el restablecimiento después de una enfermedad, asimismo se ha popularizado por su apoyo funcional en el reumatismo, trastornos hepáticos y cáncer. La raíz de la bardana forma parte regular de la dieta en Japón, y no olvides que los japoneses tienen la esperanza de vida más elevada del mundo.

Los Secretos
de la Hoja Perenne

En tiempos remotos, los taoístas que vivían en las montañas de China observaron que, en los inviernos nevados, las únicas plantas que hacían gala de vitalidad eran las de hoja perenne, tales como los pinos, y experimentando descubrieron un uso terapéutico de cada parte de estos árboles: impulsor de la energía física y mental en té de pino y té de corteza, propiedades antimicrobianas en la savia, y los piñones como alimento. Desde entonces, el pino se ha considerado un símbolo de longevidad en la cultura china.

Un poderoso antioxidante presente en el pino, el picnogenol, protege las células endoteliales (que fortalecen los tejidos de los vasos sanguíneos y el corazón) de los perjudiciales radicales libres, tiene propiedades antiinflamatorias y preserva la estructura sana de la piel. Es uno de los pocos antioxidantes que cruzan la barrera sanguínea cerebral, protegiendo las células del cerebro de los estragos causados por los radicales libres en la sangre. El picnogenol se comercializa en forma de suplemento dietético, aunque la ingesta de piñones suministra los mismos flavonoides.

El Tomate
Combate el Cáncer

El pigmento rojo del tomate, llamado licopeno (carotenoideo), es un antioxidante que ha sido estudiado ampliamente por sus propiedades de prevención del cáncer. En efecto, comer tomates en grandes cantidades reduce el riesgo de cáncer de próstata, estómago, colon y recto. El licopeno también inhibe el desarrollo de células cancerosas en los senos, pulmones y útero. Los tomates, ricos en betacarotenos y vitaminas A y C, son asimismo conocidos por su capacidad de reducir el riesgo de enfermedades cardiovasculares y prevención de cataratas. A decir verdad, no está nada mal para un fruto que hasta principios del siglo XIX se consideraba mortal en algunas partes del mundo. (Atención: la artritis y otras sintomatologías de enfermedades autoinmunes pueden agravarse con la ingesta de tomates.)

Sal Marina:
Minerales Esenciales

Antes de nacer, pasamos nueve meses en un baño de fluido amniótico similar al agua salina primordial en la que surgió la vida. No es, pues, de extrañar que el organismo humano contenga fluidos muy parecidos a la composición del mar. La sal marina contiene alrededor de sesenta minerales esenciales para la formación de vitaminas, enzimas y proteínas. La sal contribuye a la desintoxicación, y su cualidad alcalina ayuda a equilibrar los entornos de pH muy ácidos que fomentan las condiciones degenerativas y cancerosas.

No obstante, la sal común de mesa está refinada hasta quedar reducida a cloruro sódico, sin rastro de minerales esenciales. Sugiero usar sólo sal marina no refinada, como la sal Guerande, de la Bretaña francesa, ligeramente grisácea. Ni que decir tiene que la sal se debe tomar con moderación, sobre todo en caso de hipertensión (véase «Menos sal, más años»). Es importante equilibrar su ingesta con potasio para asegurar el funcionamiento correcto de nervios y músculos. Entre los alimentos ricos en potasio se incluyen las verduras de hoja, soja, cereales integrales, patatas, plátanos y la mayoría de frutas.

A Más Líquido,
Mayor Longevidad

Desde tiempos inmemoriales, el agua ha sido apreciadísima por sus virtudes terapéuticas. Las personas centenarias en todos los continentes habitados consideran sus aguas como la fuente de su larga vida. Los científicos coinciden en que aquellas aguas tan particulares pueden contribuir a la salud y longevidad de los lugareños. Todas tienen algo en común: su pureza. No contienen sustancias químicas ni toxinas. Y no es de extrañar que los arroyos y fuentes termales estén siempre alejados de las ciudades. El agua corriente en las áreas urbanas contiene pesticidas, contaminantes industriales, cloro, flúor y otros agentes químicos, aunque, en algunas áreas rurales, las aguas de pozo y las corrientes de montaña tampoco son demasiado salubres, a causa de la lluvia ácida y los niveles tóxicos de minerales presentes en las aguas subterráneas.

Existen innumerables procesos de filtrado que eliminan los contaminantes. Los mejores utilizan carbón activado, que limpia las impurezas, pero dejando los minerales solubles. Evita los descalcificadores de agua, que eliminan los minerales esenciales, y tampoco la guardes en recipientes de plástico, ya que los bifenilos policlorados se filtran en el agua.

Un Antiinflamatorio
en la Ensalada

Durante siglos, los indios nativos de América del Norte y Asia han usado la onagra (o prímula) para aliviar los dolores de la artritis, trastornos digestivos, irritación de garganta, hemorroides y magulladuras. El aceite de onagra es rico en ácido gamma-linoleico (AGL), un ácido graso omega 3 que contribuye a reducir la inflamación, y en consecuencia combate la artritis reumatoide, las lesiones nerviosas y la pérdida de memoria derivada del Alzheimer. Dado que el AGL facilita la transmisión de los impulsos nerviosos, también puede ser útil en la esclerosis múltiple. La onagra se comercializa en cápsulas o en forma de aceite. Inclúyela en la ensalada como aderezo.

El Mejor Color para una Sangre Sana:
Rojo Cereza

Investigadores chinos han observado desde hace muchos siglos que las cerezas ayudan a controlar la diabetes. Los compuestos antioxidantes presentes en los pigmentos oscuros de las cerezas, uva y bayas silvestres aumentan la producción de insulina en las células pancreáticas de los animales. Conocidos como antocianinas, estos compuestos también protegen contra las enfermedades coronarias, cáncer y artritis. Las cerezas y otras frutas de color oscuro mantienen el equilibrio del azúcar en la sangre y fomentan una vida sana y longeva.

El Aceite de Oliva Optimiza
la Tensión Arterial

Estudios científicos han demostrado que el aceite de oliva, un producto básico de la dieta mediterránea, tiene efectos positivos en los lípidos de la sangre y ayuda a bajar la tensión arterial. Según la Organización Mundial de la Salud, alrededor del 60% de las hemorragias cerebrales y el 50% de los trastornos cardiovasculares son atribuibles a la hipertensión, responsable de 7,1 millones de muertes cada año en todo el mundo. A tenor de las conclusiones de un estudio reciente, «La ingesta de aceite de oliva está inversamente asociada a la presión sistólica y diastólica de la sangre». Dicho de otro modo, consumir más aceite de oliva está estrechamente relacionado con una tensión arterial más baja. Úsalo para cocinar y en la ensalada. Tu sangre te lo agradecerá.

Carbonatación: Perjudicial para los Huesos

Las bebidas gaseosas contienen ácido fosfórico, muy perjudicial para el metabolismo del calcio y que reduce la masa ósea. Esto significa que beber gaseosas y agua carbónica (con gas) aumenta el riesgo de desarrollar osteoporosis. En ocasiones, la carbonatación se produce naturalmente, como en el caso de determinadas aguas termales, pero, por desgracia, también éstas tienen niveles elevados de ácido fosfórico. Si quieres vivir muchos años, necesitarás una osamenta sana. Así pues, es preferible elegir tés, mezclas de zumos sin azúcar y agua natural de manantial para calmar la sed.

¿El Café?
Descafeinado, Por Favor

Si sufres estrés, ansiedad, mente acelerada o insomnio, ya sabes lo que tienes que hacer: corta de raíz con la cafeína. Es un estimulante del sistema nervioso central que contrarresta los intentos de relajar el cuerpo y serenar la mente. Y si aun así no puedes pasar sin café, opta por su versión descafeinada, aunque en tal caso deberás tener cuidado. Muchos cafés comercializados se descafeínan con cloruro de metileno, una sustancia química que interfiere en la capacidad oxigenadora de la sangre, lo que hace que el corazón trabaje más en un intento de satisfacer las necesidades de las células. Si has sufrido una angina de pecho y te has pasado al descafeinado para evitar los síntomas desencadenantes, deberás asegurarte de que la cafeína se ha eliminado (bueno, en realidad en un 97%) mediante un proceso acuoso. Fíjate en la etiqueta cuando compres café en grano en la tienda de productos dietéticos o pregúntalo en la cafetería.

La Piel de Naranja
Elimina el Colesterol

En la medicina china, la piel (corteza) de la naranja se ha utilizado tradicionalmente para mejorar la digestión de alimentos grasos, y en la cocina china se usa a menudo en los platos de carne roja. La piel de naranja reduce el colesterol más eficazmente que algunos fármacos y sin efectos secundarios. Los estudios demuestran que los compuestos llamados flavonas polimetoxiladas (FPMS), presentes en los pigmentos de la naranja y la mandarina, reducen el colesterol «malo» (LDL) sin alterar el nivel de colesterol «bueno» (HDL). La próxima vez que prepares una comida rica en grasas, usa piel de naranja como un ingrediente más.

Puedes Comerte
el Corazón
(Literalmente)

Comer en exceso es una de las peores formas de someter a estrés al corazón. Cuando lo haces, sobrecargas todos los sistemas orgánicos, muy especialmente el cardiovascular. Pero lo más importante es que, cuando el estómago se dilata a causa de un volumen excesivo de alimento, comprime la aorta y las arterias del abdomen superior, empujando contra el diafragma. El movimiento de los pulmones y el corazón se restringe, lo cual puede provocar una enfermedad coronaria grave. «Piensa con el corazón» y come moderadamente.

Especia
tu Circulación

La reacción natural a los alimentos especiados es el enrojecimiento del rostro, el aumento de la temperatura corporal y la transpiración, signos todos ellos de que los vasos sanguíneos se han dilatado y que el flujo sanguíneo se ha acelerado. Innumerables ensayos clínicos han demostrado que muchas especias, en particular el ajo, cebolla, cayena y la cúrcuma (azafrán de las Indias), previenen la formación de coágulos en la sangre y mejoran la circulación. Añade especias a tus comidas y deja que fluya la sangre.

El Ama de Llaves
del Organismo

La fibra vegetal, llamada celulosa, es una especie de escoba que barre las toxinas del tracto intestinal. Asimismo inhibe la producción de colesterol en el hígado y expulsa la bilis acumulada, que puede dar lugar a la formación de cálculos e ictericia. La fibra de avena, la soja y la uva son tres alimentos ricos en fibra «rompedora» de colesterol. Compra una escoba y barre.

Alimentos Envasados:
Aditivos Nocivos

Los tres aditivos alimentarios más comunes utilizados
para preservar el color, evitar el deterioro y potenciar el
aroma en los alimentos envasados son los sulfatos, los
nitratos y el glutamato monosódico (GMS). Los sulfatos
pueden causar reacciones alérgicas graves tales como
el asma. Los nitratos se combinan con las aminas
presentes en los alimentos y forman nitrosaminas, que
pueden provocar daños neurológicos o cáncer. Los
dolores de cabeza suelen estar asociados al GMS, y los
niveles elevados de esta sustancia provocan ceguera en
los animales. Otros aditivos tales como los colorantes y
aromatizantes artificiales también causan cáncer en los
animales. Para vivir más años, evita los aditivos en
los alimentos. A ser posible, procura que sean naturales.

Eres un Ser Biológico.
¿Lo Son También los Alimentos que Consumes?

La carne, el pollo y los productos lácteos ordinarios contienen altas cantidades de pesticidas, hormonas y fármacos antibióticos nocivos para la salud. Si a ello le añades el riesgo de que la carne proceda de animales enfermos criados en pésimas condiciones, tienes una buena razón para hacerte vegetariano. La comida comercializada para animales está saturada de hormonas que estimulan el crecimiento, agentes colorantes, pesticidas y fármacos. Y eso no es todo. De las 140.000 toneladas de carne de pollo descartada anualmente por no ser apta para el consumo humano, sobre todo a causa del cáncer, una parte considerable de la misma se procesa en alimentos animales. Más del 40% de los antibióticos producidos en Estados Unidos se utilizan como aditivos en la comida para animales. El resultado ecológico, después de orinar y defecar los antibióticos, es la aparición de cadenas de bacterias resistentes a los antibióticos que pueden hacernos enfermar o incluso morir. Si es posible, compra únicamente productos cárnicos biológicos. Tu salud y bienestar te lo agradecerán.

Brécol
para Respirar

Nuestra esperanza de vida es directamente proporcional a nuestra capacidad pulmonar. Para la mayoría de las personas que viven en áreas metropolitanas o cerca de ellas, la inhalación de los humos del tráfico acelera drásticamente la pérdida de capacidad respiratoria e incrementa la incidencia de cáncer de pulmón. Sin embargo, las frutas y verduras antioxidantes, como el brécol y las manzanas, pueden mitigar estos efectos.

Un estudio ha revelado que quienes consumen más de cinco manzanas por semana tienen una mejor función pulmonar que los demás. También se ha demostrado que los isotiocianatos antioxidantes presentes en las plantas crucíferas como el brécol reducen sustancialmente el riesgo de cáncer de pulmón.

Volumen Óseo
con Zumo de Naranja

La pérdida de hueso, una parte lenta e inevitable del proceso de envejecimiento, puede provocar incluso fracturas peligrosas para la vida del paciente si la progresión es excesiva o demasiado rápida. El calcio y la vitamina D son esenciales para la salud ósea. Tradicionalmente, la leche de vaca ha estado considerada como el alimento ideal para disfrutar de unos huesos fuertes, aunque lo cierto es que muchas personas reaccionan adversamente a la lactosa. Estudios recientes han concluido que el organismo es capaz de absorber la vitamina D y el calcio del zumo de naranja de una forma tan eficaz como de la leche. Además de ser bueno para tus huesos, el zumo de naranja también contiene altas concentraciones de vitamina C, un potente antioxidante.

Las Especias
Potencian los Alimentos

La digestión pone en marcha a muchos órganos para descomponer, absorber y procesar la miríada de nutrientes de los alimentos. Una mala digestión equivale a una mala nutrición. Las toxinas se pueden acumular en el organismo causando un rápido envejecimiento y enfermedades degenerativas. Entre los síntomas de una mala digestión se incluyen la hinchazón de vientre, abotargamiento, gases, indigestión, estreñimiento, diarrea y fatiga. Muchas hierbas y especias culinarias comunes ayudan a mejorar el proceso digestivo, entre otras, el eneldo, orégano, perejil, cilantro, romero, laurel, jengibre, hinojo, anís y cardamomo. Úsalas para cocinar o en infusión para tomar después de las comidas.

Come Espinacas,
Verás Mejor

Popeye sabía perfectamente que las espinacas daban fuerza, y actualmente, algunos estudios sugieren que también mejoran la visión. Cada año, uno de cada seis norteamericanos de 55 años o más desarrolla degeneración macular, y 1,2 millones sufren una pérdida grave de visión. Las espinacas son ricas en luteína y zeaxantina, dos poderosos antioxidantes que protegen la retina de la degeneración macular asociada a la edad. Y dado que las grasas potencian la absorción de luteína, no olvides saltear tus espinacas con un poco de aceite de oliva.

El Sorgo Vence al Trigo
e Incluso al Arroz Integral

He aquí un alimento antienvejecimiento del que no han oído hablar la mayoría de las personas en Occidente: el sorgo. En China, muchas personas centenarias comen sorgo como elemento principal de su dieta, especialmente cuando el arroz escasea a causa de malas cosechas. El sorgo, uno de los primeros cereales conocidos por el hombre, es fácil de cultivar y fue un alimento básico en China durante milenios, hasta que lo sustituyó el arroz. Aunque parezca una ironía, el sorgo contiene más antioxidantes, incluyendo vitamina E, que el arroz integral. Asimismo, la corteza de fibra del sorgo tiene más fibra insoluble que la del trigo. La harina de sorgo se puede usar como sustituto de la harina de trigo para cocinar.

Alcachofa:
Primeros Auxilios
para el Hígado

Debido a los ataques químicos del mundo en que vivimos, el hígado está sometido a una sobrecarga de agentes químicos que merman su funcionamiento. ¡Alcachofa al rescate! Esta deliciosa verdura es también un poderoso protector hepático. Esto se debe a un flavonoide llamado silimarin. El silimarin tiene propiedades altamente antioxidantes; estudios realizados con animales indican que es capaz de proteger el hígado de la intoxicación y el cáncer. Así pues, en la próxima temporada, cuece un par de alcachofas y tu hígado funcionará a la perfección.

Cáncer y Grasas:
Estados Unidos

En Estados Unidos la gente consume una enorme cantidad de grasas en su dieta, a menudo equivalente al 40-50% de su ingesta calórica diaria total. Desde hace ya algún tiempo, los alimentos de origen animal ricos en grasas se han relacionado con el cáncer. Algunos estudios indican que quienes comen carne cada día o consumen mantequilla o productos lácteos tres o más veces por semana, tienen el triple de probabilidades de desarrollar cáncer de próstata y cáncer de mama, una incidencia que desaparece en las personas que apenas ingieren alimentos de origen animal ricos en grasas. En cualquier caso, tu organismo necesita grasas; selecciona las más beneficiosas, como por ejemplo, las grasas y aceites de las legumbres y otras verduras, además de los de los frutos secos y semillas.

Cuando se Trata de Proteínas, Menos Es Más

La obsesión occidental por las dietas ricas en proteínas está demostrando tener resultados potencialmente funestos: osteoporosis e insuficiencia renal. Durante el metabolismo de las proteínas, los riñones tienen que expulsar los componentes proteínicos acumulados en exceso, es decir, los aminoácidos. Para completar este proceso, estos órganos neutralizan los ácidos combinándolos con el calcio y arrasando las reservas del organismo de este mineral esencial. El índice de osteoporosis en Estados Unidos es espectacularmente más elevado que en China, donde la mayoría de la gente sigue una dieta vegetariana más baja en proteínas. También se ha demostrado que un exceso de proteínas afecta a la función renal. En estudios realizados con animales que sufrían insuficiencia renal crónica, bastaba reducir la ingesta de proteínas para alargar su esperanza de vida hasta un 50%.

Prioridades
en la Cadena Alimentaria

Desde la revolución industrial, los productos químicos y toxinas sintéticas tales como pesticidas, herbicidas, metales pesados y radiactividad han ido contaminando el medio ambiente y filtrándose en las fuentes de alimento. Cuanto más subes en la cadena alimentaria, mayor es la concentración de estas toxinas y mayor también el peligro que representan. Por ejemplo, en el océano, las criaturas que figuran en lo más alto de la cadena alimentaria son peces de gran tamaño, como el atún y el pez espada, que comen peces más pequeños, los cuales, a su vez, se alimentan de otros más pequeños, y así sucesivamente. Al final de la cadena, el pececito más minúsculo se alimenta de plantas: algas y plancton vegetal. Durante el proceso, las toxinas presentes en el organismo de cada pez se condensan, de manera que el pez más grande contiene los niveles más elevados de tóxicos. En cuanto se refiere a los animales terrestres, como los humanos, es aconsejable comer alimentos de la base de la cadena alimentaria: judías verdes, legumbres, fruta, frutos secos, bayas silvestres, semillas y otras plantas, por supuesto, siempre de cultivo biológico.

¿El Aceite?
Que no te Resbale

Los aceites de origen vegetal, de frutos secos y semillas proporcionan ácidos grasos esenciales que son fundamentales para la función nerviosa y cerebral.

Sin embargo, los típicos aceites de origen vegetal que se compran en los supermercados no sólo están potencialmente saturados de pesticidas, sino que también han estado sometidos a procesos químicos y térmicos que invierten su valor (extracción, destilación, cocinado, refinado, blanqueado y adición de conservantes), además de la exposición al aire y la luz. Todo esto echa a perder la calidad del aceite y provoca la formación de radicales libres que anulan completamente la finalidad de consumo de ácidos grasos esenciales. Compra aceites orgánicos, prensados en frío y poco procesados en la tienda de productos dietéticos y naturales, y consúmelos en los tres primeros meses. Los aceites de oliva, de nuez y de lino son excelentes. Guarda el aceite en el frigorífico en recipientes de cristal oscuro para evitar que se rancien.

Los Efectos Secundarios del Azúcar, no tan Dulces como Parecen

El norteamericano medio consume alrededor de 100 kg de azúcar al año. La mayor parte del exceso de azúcar se almacena en el organismo en forma de grasa, incrementando el riesgo de cáncer y debilitando la función inmunológica. Cuando se administró azúcar a unos individuos sujetos a estudio, el recuento de leucocitos en la sangre disminuyó significativamente durante varias horas después de la ingesta. Esto resultó ser así con diferentes tipos de azúcar, incluyendo la fructosa, glucosa, miel y zumo de naranja. En otro estudio, en una muestra de ratas alimentadas con una dieta rica en azúcar se observó un considerable aumento en el índice de cáncer de mama comparado con las que seguían una dieta normal. Para vivir más, busca nuevas alternativas para endulzar tu vida.

La Amarga Realidad
de los Edulcorantes Artificiales

Me asombra constatar cuántas personas preocupadas
por las cuestiones relacionadas con la salud no se lo
piensan dos veces antes de tomar una bebida carbónica
tras otra saturadas de endulzantes sintéticos tales como
el aspartamo, la sucralosa o la sacarina. Todos estos
productos artificiales suponen un grave peligro para la
salud y la longevidad. Así, por ejemplo, se ha descubierto
que la sacarina es carcinógena, pues produce cáncer de
vejiga en las ratas. Asimismo, la mayoría de la gente cree
erróneamente que estas sustancias acalóricas los
ayudarán a adelgazar, cuando en realidad, ningún estudio
ha demostrado que los endulzantes sintéticos se
diferencien en absoluto de los naturales en cuanto al
descenso de peso. La próxima vez que te apetezca algo
dulce, come manzanas, cerezas o uva. Cuando tu paladar
se haya acostumbrado, te resultarán tan apetitosas como
un caramelo.

Apio:
Bébelo

La hipertensión, la plaga de la era moderna, es la causa principal del infarto, hemorragia cerebral, enfermedades coronarias e insuficiencia renal. Un antiguo remedio chino para esta patología consiste en beber zumo de apio. Con una licuadora es muy fácil prepararlo. Uno o dos vasos grandes a diario previene la hipertensión o la restaura a niveles normales en quienes ya la sufren. Además, la semilla de apio previene la gota y otros tipos de condiciones artríticas. Innumerables estudios han demostrado que esta planta contiene más de una docena de agentes antiinflamatorios, incluyendo uno llamado apigenina, un compuesto inhibidor de la enzima cox2 similar al de algunos fármacos, pero en estado natural, sin efectos secundarios. Haz, pues, lo que los chinos han venido haciendo durante siglos: come (y bebe) apio. Disfrutarás de una larga vida.

Polvo de Perla
para Mantenerse Joven

El uso medicinal de la perla natural, triturada y reducida a polvo, se remonta a hace dos mil años en la antigua China. Apreciado por la realeza china por sus propiedades antienvejecimiento, el polvo de perla se usaba tradicionalmente en remedios herbales y ungüentos, y se aplicaba en la piel con un masaje para prevenir el envejecimiento prematuro de la piel, limpiar las inflamaciones cutáneas y el acné, y serenar la mente y el espíritu. Rico en minerales que benefician la piel, el polvo de perla tiene mucho que ofrecer, además de su belleza como adorno.

Otros Beneficios
de las Ciruelas Pasas

Aunque te parezca asombroso, la USDA (Departamento de Agricultura de Estados Unidos) ha otorgado la máxima puntuación en la escala de capacidad de absorbencia de radicales de oxígeno (CARO) a las ciruelas pasas ¡que tu abuela comía cada día para prevenir el estreñimiento! La escala CARO se desarrolló para evaluar el contenido en antioxidantes de los alimentos. A mayor puntuación, mayor capacidad del alimento de neutralizar los radicales libres perjudiciales para las células que provocan cáncer. Las uvas pasas, arándanos y moras silvestres también figuran en lo alto de la escala CARO. Así pues, incorpora las ciruelas pasas a tu dieta diaria y te beneficiarás de sus propiedades anticancerosas. Y por cierto, dale las gracias a tu abuela por su ejemplo.

Achicoria
para un Corazón Fuerte

La achicoria es una planta que se consume en China y algunas partes de Europa. En Estados Unidos, la raíz se suele tostar y elaborar como sustituto del café. La achicoria contiene un compuesto llamado inulina, que, tal como se ha demostrado, es útil en la prevención y tratamiento de fallos cardíacos congestivos. Según un estudio de sus efectos reguladores en el corazón, esta planta desacelera rápidamente el pulso cardíaco, la misma función que realiza el fármaco llamado digitalina. Otra investigación ha concluido que también contribuye a reducir los niveles de colesterol y a frenar la progresión del endurecimiento de las arterias. Así pues, además de seguir una dieta baja en grasas y rica en fibra, y de llevar un estilo de vida activo, te recomiendo beber infusión de achicoria para mantener un buen ritmo cardíaco.

Espárragos:
Armas Naturales contra el Envejecimiento

Los deliciosos espárragos hacen honor a su forma de «lanza» en cuanto se refiere a funciones antienvejecimiento. Son ricos en potasio y vitamina A, y también en ácido fólico, un importante protector contra el cáncer. Algunos estudios indican que esta verdura es ideal para la prevención y tratamiento de infecciones del tracto urinario y cálculos biliares. Los espárragos son muy ricos en glutatión, un compuesto aminoácido de poderosas propiedades antioxidantes que combate el cáncer y retrasa el envejecimiento. La raíz del espárrago chino, pariente próximo del que podemos encontrar en las mesas de cualquier restaurante occidental, se ha utilizado para fomentar la longevidad durante más de dos mil años.

Los Hunza:
La Fuente de la Vida

El estilo de vida de los hunza, un pueblo célebre por su extraordinaria longevidad descubierto en las montañas del Himalaya, confirmó su sabiduría práctica. Eran granjeros activos, disfrutaban de un entorno no contaminado, seguían una dieta casi vegetariana y llevaban una vida armoniosa sin búsqueda de lujo ni estrés, valorando la comunidad y la familia. Menos conocida es la función que desempeña un alimento esencial de su dieta: el albaricoque. Algunas investigaciones demuestran que esta fruta tiene el mayor nivel y más amplia variedad de carotenoides posible. Éstos son antioxidantes que ayudan a prevenir las enfermedades cardiovasculares, reducen los niveles de colesterol «malo» y protegen contra el cáncer.

Según la medicina china, las semillas de albaricoque tonifican el aparato respiratorio, curan la tos y el asma y contienen elevados niveles de ácidos grasos esenciales. Una advertencia: su punta contiene una alta concentración de una sustancia química llamada laetrilo, que puede producir trastornos en el organismo. Para sacar el máximo partido de sus beneficios, elimina las puntas antes de comer las semillas y limita la ingesta a cinco al día.

La Regla del 5:
Los Matices Cromáticos del Envejecimiento

Durante miles de años, la medicina china ha considerado la existencia de cinco energías elementales en el universo y también en el cuerpo humano (véase el capítulo «Quién eres»). Estas energías están representadas por la madera, el fuego, la tierra, el metal y el agua, y a cada una de ellas le corresponde un color: a la madera, el verde; al fuego, el rojo; a la tierra, el amarillo y anaranjado; al metal, el blanco; y al agua, el negro, azul y violeta. Según *El Clásico de Medicina del Emperador Amarillo*, la salud y la longevidad dependen del equilibrio entre las cinco energías elementales, y recomienda una dieta que incluya todas ellas cada día. Para cada categoría de alimentos, debes consumir todos sus colores correspondientes. Así, por ejemplo, la ingesta diaria de verduras debería incluir algo verde, algo rojo, etc., al igual que la de fruta, frutos secos y cereales.

La Regla del 5:
El Arco Iris
de las Verduras

Para conseguir el equilibrio de las cinco energías elementales (véase p. 75), consume cada día verduras que las representen. Para el verde (madera), puedes elegir desde los espárragos hasta plantas de hojas oscuras como las espinacas, brécol y col rizada. Para el rojo (fuego), come pimientos rojos o remolacha. Las verduras del grupo amarillo/anaranjado (tierra) incluyen la calabaza, la flor de calabacín o calabacín pepo, los ñames y boniatos. Entre las verduras blancas (metal) podrían figurar la coliflor, el nabo o el rábano. Y en el extremo oscuro del espectro (agua), come berenjenas, algas marinas y setas negras.

La Regla del 5:
Fruta y Frutos Secos

El espectro cromático dietético también debería incluir todas las variedades de fruta y frutos secos. Para el verde, elige lima o melón entre las frutas, y semillas de calabaza o pistachos en la categoría de frutos secos y semillas. Para la fruta roja, prueba con fresas, tomates o cerezas; nueces para frutos secos. En el grupo amarillo/anaranjado, come papaya, mango o naranja (fruta), y anacardos (frutos secos). La fruta blanca incluye peras y plátanos, y los frutos secos, piñones y nueces de macadamia. Finalmente, come arándanos, moras, pasas de Corinto e higos para la fruta de color oscuro, y castañas, nueces y sésamo negro para el grupo de frutos secos.

La Regla del 5:
Vainas y Cereales

La Regla del 5 también se aplica a las plantas de vaina y los cereales en los colores elementales. Come a diario de cada grupo de vainas y de cada grupo de cereal. Verde: lentejas y brotes de soja; centeno como cereal. Amarillo/anaranjado: garbanzos y frijoles blancos; maíz y mijo. Blanco: brotes de soja y judías blancas; arroz y cebada. Oscuro: judías pintas; espelta, bulgur, arroz integral negro o arroz salvaje. Sigue los consejos del Emperador Amarillo en cada categoría y consumirás alrededor de 600 carotenoides, poderosos antioxidantes que barren los radicales libres, previenen el cáncer y mejoran los sentidos de la vista, oído y olfato.

CAPÍTULO 2: Cómo te Curas
Hierbas, Remedios y Elixires

En mis estudios de individuos centenarios y culturas en todo el mundo, los chinos son un caso excepcional, pues han incorporado a su dieta una amplia variedad de hierbas tonificantes. Estas prácticas herbales, que fueron transmitidas desde el Emperador Amarillo a través de los taoístas chinos, los primeros científicos antienvejecimiento de la historia, no sólo sirven para mantener la salud y el vigor, sino también para combatir la enfermedad.

Hoy en día, las propiedades curativas de las plantas han sido finalmente aceptadas en Occidente. Sin embargo, los orígenes botánicos de muchos fármacos son aún poco conocidos. ¿Cuánta gente sabe, por ejemplo, el ingrediente activo de la aspirina se descubrió en la corteza del sauce blanco, tradicionalmente utilizado para aliviar el dolor antes de su forma química? ¿O que el coumadin (warfarina), un anticoagulante moderno usado para prevenir los coágulos de sangre, procede del azafrán?

Este capítulo ofrece consejos para mantenerse en plena forma y combatir la enfermedad con medios naturales. Úsalos sabiamente y vivirás muchos años.

La Memoria:
Por lo que Más Quieras, no la Pierdas

La fosfatidilserina (FD) es un nutriente bien
documentado usado en Europa para frenar la progresión
de la demencia senil y la pérdida de memoria. Es un
compuesto elaborado naturalmente por el organismo,
y algunos estudios han demostrado que reduce la
respuesta al estrés. Según parece, la FD potencia
distintos neurotransmisores en el cerebro que activan el
razonamiento, la concentración y la memoria, lo cual
significa que incrementa la capacidad de tolerar los
efectos perjudiciales del estrés en el organismo.
Los suplementos comercializados, de origen bovino,
se elaboran a partir de soja, debido al riesgo de
la enfermedad de las «vacas locas».

Desestresa
el Corazón

En Europa, Japón e Israel, la coenzima Q-10 es un
tratamiento suplementario habitual para diferentes
trastornos coronarios. Este compuesto es un potente
autioxidante que se produce naturalmente en todas las
células del organismo y mejora la función cardíaca en
momentos de estrés. Dada su importancia en la producción
de energía celular, es un nutriente esencial en las
condiciones degenerativas, fatiga y debilidad muscular. Por
otra parte, la Co-Q10 también previene el envejecimiento
prematuro de la piel.

La Cura Amarilla
para un Flujo Sanguíneo
Escaso

¿Sabías que el coumadin, un fármaco anticoagulante, se extraía originariamente del azafrán? Esta especia de color amarillo, conocida por su característico sabor cuando se mezcla con el curry, se ha utilizado en Asia por sus propiedades medicinales durante muchos siglos. Tradicionalmente, el azafrán se usaba como activador de la sangre, para aliviar el dolor articular y depurar el hígado y la vesícula. Estudios recientes destacan sus beneficios en la prevención de coágulos, reducción de la inflamación, aumento de la secreción biliar, descenso del colesterol y posiblemente la prevención de determinados tipos de cáncer. Si estás tomando coumadin, también conocido como warfarina, deberías evitar el azafrán, para que los niveles de esta sustancia en el torrente sanguíneo no sean demasiado elevados. Los demás pueden disfrutar de un buen flujo añadiendo esta especia en la comida o tomándola como suplemento.

Acelera
el Metabolismo
de las Grasas

La L-carnitina, un aminoácido que segrega el hígado, facilita el metabolismo de las grasas, aumenta la producción de energía en las células musculares, fomenta la pérdida de grasa e incrementa la circulación de la sangre en el cerebro. Asimismo, esta sustancia contribuye a reducir el nivel de triglicéridos y aumenta el colesterol «bueno», protegiendo, por consiguiente, el corazón. Dado que también previene la oxidación de grasas en el cerebro, podría ser esperanzador en la prevención del Alzheimer y el Parkinson. La carne, pescado, pollo, trigo, aguacate, leche y brotes de soja fermentados constituyen todos ellos fuentes ricas en L-carnitina.

Anticontaminante
Natural

El poderoso antioxidante y desintoxicante L-cisteína
protege el organismo de los efectos perniciosos de la
contaminación, metales pesados, sustancias químicas,
radiación, alcohol y humo. Este aminoácido natural
también potencia el sistema inmunológico, protegiendo
contra las enfermedades coronarias, aumentando la masa
muscular y reduciendo la acumulación de grasas.
Asimismo, la L-cisteína es útil para combatir la
inflamación, cuida el pelo y acelera el crecimiento de las
uñas. Esta sustancia se encuentra en los huevos,
pescado, almendras, semillas de sésamo, soja, semillas
de calabaza, cacahuetes, legumbres, aguacates, plátanos,
cereales integrales y levadura de cerveza.

Azúcar en la Sangre: Equilibrio

El cromo desempeña diversas e importantes funciones que contribuyen al mantenimiento de la salud: estabiliza los niveles de azúcar en la sangre, metaboliza los aminoácidos y grasas, y reduce el colesterol «malo» al tiempo que aumenta el «bueno». Estas propiedades lo hacen muy útil en el control de la diabetes y la hipoglucemia, y también en la prevención de trastornos cardiovasculares. No obstante, el cromo es un metal difícil de absorber, ya que en su mayor parte se elimina a través de los intestinos y los riñones. A medida que envejecemos, el organismo almacena cada vez menos cromo; de ahí que la edad sea un factor de riesgo de diabetes, la tercera causa de muerte en Estados Unidos. Entre los alimentos ricos en cromo se incluyen la levadura de cerveza, brécol, remolacha, legumbres, setas, frutos secos, trigo integral, pimienta negra, melaza, carne y queso. Dado que sólo necesitas pequeñas cantidades de cromo, un suplemento dietético de 100 a 200 mg al día será más que suficiente.

El «AAL»
Combate el Alzheimer

El ácido alfalipoico (AAL) desempeña la función clave de transformar los alimentos en energía celular. El AAL es un compuesto muy especial, ya que, a diferencia de otros antioxidantes, que sólo funcionan en entornos acuosos o grasos, éste lo hace en ambos. Cuando el organismo agota las existencias de vitaminas C y E en situaciones de estrés, el AAL transforma los productos residuales en nuevos compuestos antioxidantes. En otras palabras, «recicla» las vitaminas. El ácido alfalipoico previene el tipo de lesiones nerviosas observado en la diabetes y otras enfermedades asociadas al envejecimiento, tales como el Parkinson o el Alzheimer. También contribuye a prevenir el cáncer, los trastornos coronarios, las cataratas y la diabetes.

DHED:
la Madre de Todas
las Hormonas

La DHED (dehidroepiandrosterona) es el esteroide más abundante en el organismo humano. Genera tantas hormonas como respuesta a sus necesidades, que a menudo se considera la madre de todas las hormonas. Y, como buena madre, la DHED nos protege de mil y una formas diferentes. En efecto, es un potente impulsor inmunitario al tiempo que contribuye a controlar los trastornos autoinmunes en los que el sistema ataca por error los propios tejidos orgánicos. Posee poderosas propiedades anticancerosas y previene daños en el ADN, como los efectos de la radiación ultravioleta en la piel. Este esteroide contribuye a proteger contra la arterioesclerosis, baja la tensión arterial, reduce la inflamación cerebral, previene la acumulación de grasas y mejora la función cardiovascular. Mantener un nivel suficiente puede frenar considerablemente la degeneración asociada al envejecimiento, pero dado que se trata de un precursor hormonal, se debería consultar al médico antes de tomarlo como suplemento. O mejor aún, comer muchos boniatos y ñames, por su rico contenido en DHED de origen vegetal.

ADN
en una Píldora

El desgaste propio del envejecimiento reduce las reservas de ácidos nucleicos, los pilares del ADN y ARN en las células del organismo. Reabastecer las existencias de estos nutrientes puede frenar el proceso de envejecimiento. Estudios realizados con animales y algunas observaciones clínicas limitadas con humanos son esperanzadores, pues podrían aumentar la esperanza de vida y otras medidas relacionadas con la calidad de salud, como por ejemplo un incremento de la energía, piel más sana y reducción de manchas seniles. Ahora puedes tomar ácidos nucleicos en forma de suplemento o simplemente consumir alimentos ricos en estas sustancias, tales como sardinas, setas, espárragos, germen de trigo, salmón y espinacas.

Una Hierba Milenaria
Antienvejecimiento

El *Panax ginseng* tal vez sea la hierba más conocida del mundo. De consumo popular para aumentar la energía y la resistencia, en Asia se ha usado con fines médicos durante más de cinco mil años. En China, el ginseng es más apreciado que el oro por sus propiedades supuestamente milagrosas. El término *panax* está relacionado con la palabra «panacea», que significa «curalotodo». Los científicos occidentales han confirmado la eficacia del ginseng en múltiples usos. Considerado un «adaptógeno», potencia las funciones orgánicas y el sistema inmunológico, facilitando una mejor adaptación a los efectos negativos del estrés físico y medioambiental. El ginseng contribuye a mejorar la coordinación y el tiempo de reacción, aumenta la resistencia y alivia la fatiga. A diferencia del café, que estimula el sistema nervioso central, el ginseng potencia la energía paulatina y moderadamente. Asimismo existen evidencias de su capacidad para combatir las infecciones, proteger el hígado y la salud coronaria, normalizar el colesterol y los niveles de azúcar en la sangre, regular la función hormonal y mejorar la memoria y las funciones cognitivas. Gracias a su extendido cultivo, esta hierba se puede comprar en todo el mundo a un precio razonable.

Piensa Mejor
con Menos Estrés

La chizandra, una baya silvestre que ha sido utilizada durante miles de años para rejuvenecer y revitalizar los sentidos, contiene varias vitaminas y flavonoides de propiedades antioxidantes y potenciadoras del sistema inmunológico. Está considerada como tónico energético que fomenta la resistencia física y la concentración mental, al tiempo que alivia la tensión nerviosa y frena la ansiedad. Como tratamiento de belleza, la chizandra favorece el brillo y tersura de la piel. Asimismo se ha utilizado como un complemento de refuerzo de la función inmunológica en pacientes sometidos a quimioterapia y protege el hígado y los riñones. Se cultiva en Asia, pero se puede encontrar en forma de suplemento en cualquier tienda de productos dietéticos y naturales.

Hormona del Crecimiento:
Impulso Natural

La mora de la vista o cereza Goji (*Lycium barbarum*) es una deliciosa fruta originaria de Asia que desde tiempos remotos se ha venido usando por sus efectos tonificantes, especialmente en la visión y el cerebro. La baya contiene polisacáridos que estimulan el sistema inmunológico y estimulan la secreción de la hormona del crecimiento humano en la pituitaria. Buena fuente de vitaminas B y C, cinc, calcio, germanio, selenio, fósforo y otros minerales, este fruto tiene la máxima concentración de carotenoides, en especial betacarotenos, de todas las plantas del mundo, y es, por lo tanto, un extraordinario antioxidante. Esta baya se utiliza tradicionalmente mezclada con otras hierbas tonificantes chinas para aumentar la potencia sexual y la fertilidad. Un aspecto importante es su inocuidad para la salud, sin efectos secundarios conocidos. Además, tiene buen sabor. Añádelas a los cereales en lugar de las pasas de Corinto.

El Astrágalo,
un Aliado Poderoso

El astrágalo se ha usado en Asia durante más de dos mil años para potenciar la vitalidad y prevenir enfermedades, sobre todo los resfriados y la gripe. Se ha demostrado que el astrágalo estimula la autoproducción de interferón en el organismo, una poderosa proteína inmune que incrementa la capacidad de luchar contra las enfermedades infecciosas. El astrágalo restablece la función inmunológica sana a pesar de la presencia de posibles daños físicos, químicos o radiactivos. Los pacientes con cáncer que toman astrágalo durante la quimioterapia y los tratamientos de radiación suelen mostrar menos efectos secundarios y se recuperan más deprisa. Esta hierba también es beneficiosa para la piel y acelera la curación de heridas e infecciones en la epidermis. Por otro lado, incrementa la producción y motilidad de espermatozoides, útil en el tratamiento de la infertilidad masculina. Este excelente componente del botiquín natural de primeros auxilios antienvejecimiento aumenta la longevidad de las células y no se le conocen posibles efectos tóxicos.

Honor
a la Abeja Reina

En las culturas asiáticas, la jalea real está considerada un tónico de la longevidad que fomenta la energía, virilidad e inmunidad celular. Rica en vitaminas y colágeno, la jalea real se usa para alimentar a las abejas reina. Cuando se administra la misma dieta a las obreras, la reina vive el mismo período de tiempo: entre siete y ocho semanas. Sin embargo, en la naturaleza, la abeja reina es alimentada exclusivamente con jalea real y vive entre cinco y siete años. La jalea real también combate los tumores, especialmente los de tipo sarcoma. La presencia de una proteína antibacteriana en su composición, la royalisina, le confiere eficacia para combatir determinadas bacterias, incluyendo el estreptococo y el estafilococo. La jalea royal se comercializa en forma de suplemento y se puede comprar en las tiendas de productos dietéticos y naturales.

Los Derivados de la Abeja
Nutren y Protegen

Dos productos derivados de la abeja que asombran por sus propiedades benéficas son el polen y el própolis. El polen de abeja es una fuente rica en vitaminas, minerales, enzimas y aminoácidos que protege el hígado de toxinas, beneficia a los varones con dilatación de próstata y fomenta la energía y la vitalidad.

Las abejas usan própolis, formado por tres resinas, para sellar las grietas en las colmenas y que actúa como capa protectora contra la invasión de microbios y otros organismos. Es rico en flavonoides y tiene propiedades antioxidantes y antiinflamatorias. Asimismo, el própolis contiene terpenoides, que a su vez contienen agentes antibacterianos, antivirales, antifúngicos y antiprotozoarios. Al igual que algunos fármacos antibióticos, previene la división celular bacteriana y descompone las paredes y citoplasma de los organismos invasores. Esta sustancia está disponible en cápsulas, caramelos, tintura... o en miel enriquecida con própolis. En materia de nutrición y protección, lo que funciona para las abejas, también vale para el ser humano.

Atletas Chinos:
El Secreto Energético

El cordyceps ha sido objeto de cierta atención desde que
ha saltado a los titulares la noticia de que los mejores
atletas en los Juegos Olímpicos de China lo usaron para
incrementar espectacularmente su rendimiento. Las
propiedades energéticas de este hongo han sido muy
apreciadas en Oriente durante milenios, pero sus
existencias eran relativamente escasas, hasta que
los avances modernos en las técnicas de cultivo
multiplicaron la producción. Las mismas propiedades
potenciadoras de la vitalidad que ayudan a los atletas a
batir récords y a brillar por su fuerza y resistencia pueden
ayudarte a vivir más años. En efecto, el cordyceps
incrementa el metabolismo de la energía celular, potencia
las funciones adrenales para adaptarse mejor al estrés,
modula la función inmunológica, aumenta la circulación
capilar y mejora el uso del oxígeno.

Una Hierba en Forma de Cerebro
Vela por la Inteligencia

La hoja del ginkgo tiene la forma de cerebro humano, y hay quien dice que ésta es la causa de que en Asia siempre se haya considerado que favorecía los procesos intelectivos. Innumerables investigaciones acerca del ginkgo, una de las plantas más estudiadas, han confirmado que potencia la circulación de la sangre al cerebro y otros órganos, mejorando la memoria y las funciones cognitivas. Asimismo, el ginkgo ha sido muy utilizado como tónico para la longevidad en Asia y Europa. La forma más conocida de administración de la hoja del ginkgo es en tés y extractos herbales, y así se suele comercializar, aunque su falso fruto en drupa, cuya presencia es muy habitual en la tradición culinaria china y japonesa, también tiene propiedades terapéuticas y, según algunos especialistas, fortalece la función pulmonar.

Espino Blanco:
Potencia Cardiovascular

Ampliamente utilizado desde el siglo XVII por los herboristas europeos, el espino blanco se consideraba tradicionalmente un coadyuvante digestivo para después del consumo de carnes, además de un potente activador del sistema circulatorio. Estudios recientes realizados en Europa de esta planta rica en bioflavonoides han constatado sus beneficios cardiovasculares, incluyendo la bajada de tensión arterial durante el ejercicio físico, el fortalecimiento del músculo cardíaco y la mejora del riego sanguíneo al corazón y en todo el cuerpo. Asimismo, se ha descubierto que el espino blanco reduce los niveles de colesterol y equilibra los niveles de azúcar en la sangre. Como bebida o suplemento, el espino blanco es indispensable en tu arsenal antienvejecimiento.

Desintoxicantes
Botánicos

Para que las células tengan las máximas posibilidades de funcionar correctamente y mantenernos jóvenes, es esencial eliminar las toxinas que se acumulan en el organismo. La naturaleza nos ha proporcionado plantas de poderosas propiedades depuradoras. Unas desintoxican el hígado, y otras contribuyen a su expulsión a través de los intestinos y el tracto urinario. Una fórmula tradicional para la depuración interna consta de flor de crisantemo, menta, semilla de cassia y diente de león, que limpian el hígado y despejan la mente; espino blanco para limpiar las arterias de grasas y colesterol; y bardana menor, que abre los senos paranasales y contribuye a la expulsión de la mucosidad. Para evitar la acumulación de toxinas y contaminantes hasta niveles de riesgo en el organismo, consume regularmente hierbas depurativas y ayuna durante breves períodos.

Osha:
La Hierba Nativa Americana

La hierba conocida con el nombre latino *Ligusticum* tiene múltiples variedades en todo el mundo: las indios nativos norteamericanos la llaman osha, y la especia china se llama *chuan xiong*. Desde siempre ha sido una hierba clave en la tradición china de la longevidad, apreciada por sus poderes para potenciar el sistema inmunológico, activar la circulación de la sangre y aliviar el dolor. Algunos estudios han confirmado la eficacia del ligusticum en la prevención de la hemorragia cerebral y la restauración del riego sanguíneo al cerebro y el corazón. Asimismo, se ha observado que inhibe el crecimiento tumoral en los animales. Usada en combinación con otras hierbas que favorecen el sistema inmunológico durante la quimioterapia, o para tratar la anemia, el ligusticum se toma a menudo en forma de mezcla como suplemento dietético.

Vitaminas Naturales, no Píldoras Petroquímicas

Muchas personas obsesionadas con la salud toman vitaminas y minerales a puñados cada día en la creencia de que así gozarán de buena salud. Pero, con frecuencia, y debido a la escasa biodisponibilidad de suplementos dietéticos (factor absorción), lo que consumen lo expulsan a través de la vejiga y los intestinos sin que haya sido metabolizado. Muchas vitaminas son sintéticas y están compuestas por sustancias petroquímicas de mínima actividad biológica. Los suplementos de máxima biodisponibilidad se elaboran con extractos de alimentos orgánicos integrales. La mejor manera de tomar vitaminas y minerales es en polvo, concentrados líquidos o aceites elaborados con polen de abeja, cebada, trigo, kelp, espirulina, clorofila, levadura de cerveza, harina de huesos, germen de trigo, lino y aceites de pescado. Ni que decir tiene que siguiendo una dieta nutritiva y variada a base de alimentos integrales, absorberás estos nutrientes tal y como los ha diseñado la propia naturaleza.

Fenogreco:
Fomenta la Vitalidad

Conocido desde la Antigüedad en la medicina china como potenciador de la vitalidad, el fenogreco (o alholva) se usa tradicionalmente para reactivar la energía, acelerar el restablecimiento de enfermedades graves y mejorar una función sexual deficiente. Recientes estudios han descubierto que el fenogreco es útil en la reducción del colesterol «malo» LDL, y el control del azúcar en la sangre en los diabéticos. Sus efectos benéficos tal vez sean el resultado de su contenido en fitoesteroles, hormonas vegetales que imitan las hormonas del organismo esenciales para la salud. Puedes comprar fenogreco en las tiendas de productos dietéticos y naturales.

Palma Enana Americana:
Una Próstata Sana

El descenso de los niveles hormonales en las personas de edad avanzada puede propiciar inflamaciones de la próstata y disminución de la libido. Los trastornos prostáticos crónicos pueden provocar flujo urinario frecuente y escaso, e incluso cáncer de próstata, el segundo tipo de cáncer más común en los varones. La palma enana americana es una hierba que tradicionalmente se ha utilizado para aliviar los trastornos prostáticos. Según algunas investigaciones, contribuye al equilibrio de los niveles de testosterona, reduce la inflamación y proporciona abundantes ácidos grasos esenciales. También es útil en la menopausia, cuando los cambios hormonales estimulan el crecimiento del vello corporal. La palma enana americana se vende en cualquier tienda de productos dietéticos y naturales.

Los Secretos
de las Mujeres Chinas

En Asia y muy especialmente China, la raíz de angélica, o *dong quai*, ha velado por la salud de la mujer durante miles de años. Tradicionalmente se usa para regular los períodos menstruales, potenciar la fertilidad, fabricar sangre, fortalecer los huesos y mantener la salud del cabello, piel y uñas. También alivia los sofocos y otros síntomas relacionados con los cambios menopáusicos. Pero algunos estudios indican que, además de aliviar estos malestares, el *dong quai* favorece la función inmunológica y reduce los niveles de radicales libres perjudiciales en el torrente sanguíneo. ¿Podría ser ésta la causa de que tantas mujeres chinas alcancen edades tan avanzadas?

Parras
para Sentirse Bien

Gynostemma pentaphyllum es una planta emparrada que crece en estado silvestre en el sudoeste de China y que tradicionalmente se ha utilizado como tónico cardíaco y estimulante energético. Algunos estudios han demostrado que puede contribuir a reducir los niveles de colesterol, bajar la tensión arterial y desacelerar el pulso cardíaco. La *Gynostemma* es asimismo rica en antioxidantes, y contiene más de ochenta saponinas que ayudan a prevenir el cáncer y potencian las funciones inmunológicas. Se comercializa como té o en forma de suplemento.

Ballenas
a la Caza de Proteínas

¿Te has preguntado alguna vez cómo es posible que las ballenas adquieran un tamaño tan colosal alimentándose única y exclusivamente de organismos unicelulares llamados plancton, esas diminutas plantas y animales que flotan en el océano? El tipo de plancton apto para el consumo humano consiste en microalgas tales como la clorella y la espirulina, con mucho la mayor fuente de proteínas de cualquier alimento natural. Una cucharadita de microalgas contiene tantas proteínas como 30 g de ternera. Por lo demás, la clorofila presente en las microalgas depura y desintoxica el organismo.

La Hierba Milagrosa de los Soldados
para Curar las Heridas

A medida que se envejece, es cada vez más importante evitar la pérdida de sangre, ya sea por heridas accidentales, cirugía o hemorragias internas, que somete a tensión el sistema conminándolo a restablecer los niveles sanguíneos y, en última instancia, a desplazar el exceso de fluido a la zona de la hemorragia, sin mencionar la inducción de anemia temporal, que puede afectar a muchas partes del cuerpo. El ingrediente activo en los remedios más celebrados de la medicina china, el *yunnan bai yao*, es el *tian qi*, o pseudoginseng, que llevaban los soldados al campo de batalla para utilizar en caso de heridas de bala. Aunque se usa típicamente en forma de polvo, también es eficaz aplicándolo internamente en forma de tintura o en cápsulas.

Una Antigua Fórmula
Fortalece tu Esencia

Según la filosofía china de la longevidad, el *jing*, o
esencia, es la sustancia básica de la vida. La esencia
innata se hereda de los padres y se puede perfeccionar
mediante prácticas tales como el tai chi, qigong y
meditación, mientras que un segundo tipo de jing, que se
adquiere durante la vida, se puede obtener a través de la
dieta, la nutrición y hierbas para la longevidad. Una
fórmula para la prolongación de la juventud transmitida
en la tradición médica de nuestra familia consta de
hierbas que favorecen la esencia tales como el ñame
silvestre chino, la fruta del ligustro, la baya de la
chizandra, la semilla de sésamo, la corteza del árbol de la
gutapercha, la raíz de *ho shou wu* (*fo ti*) y la de pijolobo
(*Cistanche phelipaea*). Investigaciones realizadas con
todas estas plantas confirman sus efectos positivos en
los sistemas hormonal, inmunológico y metabólico.

«Que la Fuerza te Acompañe»

El *qi*, o fuerza vital, determina tu nivel de energía y la función orgánica óptima. Pensar, trabajar y jugar son actividades que requieren y consumen *qi* procedente del cuerpo. La cultura china tradicional tiene muy presente la necesidad de renovar la provisión de energía. Plantas y hierbas como la semilla de loto, la zarzaparrilla, el longan, la cebada perlada y el ginseng han venido usándose con éxito desde hace mucho tiempo para facilitar la digestión y potenciar el *qi*.

Nutrición
para el Espíritu

El *shen*, o espíritu, es la conciencia que anima tu ser. La vida carecería de significado sin espíritu, aun en el caso de que el cuerpo físico pudiera sobrevivir durante años hasta la muerte. Así pues, tu espíritu necesita madurar, al igual que lo necesita también tu cuerpo, mediante el amor a ti mismo, la disciplina y hierbas que nutren el espíritu, como el bambú, por ejemplo, usado tradicionalmente para potenciar la objetividad y la disipación de las preocupaciones. El bulbo del lirio restaura la alegría y mengua la tristeza; el hueso de dragón mantiene la estabilidad del estado de ánimo y reduce los comportamientos irascibles y depresivos; la raíz de la senega china fomenta la claridad de mente y alivia la excitación excesiva y la ansiedad; y la raíz de la glutinosa (*shu di huang*) fortalece la voluntad y disipa el miedo. Todas estas hierbas se pueden comprar en tiendas especializadas en productos chinos y en la consulta del acupuntor.

Restablecimiento
Después de la Cirugía

Si tuvieras que someterte a una intervención quirúrgica, podrías aumentar considerablemente las expectativas de un rápido restablecimiento y asegurarte muchos más años de vida. Veamos cómo. Ve al acupuntor para una «tonificación» semanal, empezando cuatro semanas antes de la intervención, a fin de preparar el organismo para una rápida curación. Deja de tomar ginkgo y vitamina E tres semanas antes y no reanudes la ingesta hasta diez días después de la operación. Estas sustancias tienen un efecto anticoagulante y pueden frenar la cicatrización de la incisión. Antes de entrar en la sala de operaciones, ponte cinco gránulos de árnica homeopática bajo la lengua. (Si van a sedarte con anestesia general, te dirán que no comas ni bebas, pero estos diminutos gránulos que se disuelven rápidamente no infringen esta prohibición.) Al despertar de la intervención, toma otros cinco. El árnica acelera el restablecimiento del organismo del trauma que provoca la acción del escalpelo.

Los Huesos
Después de un Infarto

Nada impide que los pacientes de infarto puedan recuperarse completamente y vivir muchos años, siempre y cuando, claro está, sepan cuidarse como es debido. Un efecto secundario del infarto que a menudo pasa inadvertido es la disminución de la densidad ósea, particularmente en el lado más afectado por el trance cardíaco. Un estudio realizado con pacientes postinfarto descubrió niveles más bajos de vitamina D_3 y un aumento del riesgo de fractura de cadera. El grupo al que se administró esta vitamina mostró una significativa mejoría en la densidad mineral de los huesos en comparación con el grupo no tratado, y también un menor número de fracturas. Para evitar las fracturas de cadera, cuya recuperación resulta lo bastante ardua como para debilitar los mecanismos curativos del organismo, toma suplementos de vitamina D_3 si has sufrido un infarto.

Asta de Ciervo:
Regeneración

La medicina china siempre ha observado la naturaleza en busca de un modelo de efectos positivos para la salud. Desde tiempos remotos, los practicantes orientales advirtieron que los ciervos perdían sus astas cada año y que se regeneraban rápidamente. Pronto descubrieron que el ACA (que significa «asta de ciervo aterciopelada», es decir, en fase de desarrollo antes de que haya calcificado) era un potente rejuvenecedor y tónico del crecimiento. Tradicionalmente se utiliza para tratar la impotencia asociada a la edad, aliviar el dolor lumbar y la fatiga. Estudios efectuados en Occidente han revelado que el ACA estimula la producción de IGF-1 (factor de crecimiento insulínico tipo 1) en el organismo, la sustancia que elaboran las células a partir de la hormona del crecimiento humano. Las características regenerativas del ACA se están aprovechando para potenciar las facultades mentales, estimular el riego sanguíneo al cerebro, mejorar la visión y aliviar el dolor en la artritis. Se comercializa en forma de suplemento y se puede comprar en las tiendas de productos dietéticos y naturales y también en las farmacias que vendan productos chinos.

Aminoácidos:
El Estado de Ánimo

Nadie conseguirá vivir muchos años sin la voluntad de hacerlo, y en ocasiones, los cambios en el estado de ánimo pueden hacernos sentir que la vida es una carga demasiado pesada. Estos episodios se deben, con frecuencia, a desequilibrios o deficiencias internas. Los europeos toman suplementos de un compuesto natural que se encuentra en las células humanas para regular el estado de ánimo y recuperar un aspecto saludable. La SAM (S-adenosil-L-metionina) se elabora a partir de la metionina, un aminoácido que desempeña una importante función en la producción de neurotransmisores «maníacos» (en contraposición a «depresivos») tales como la dopamina y la serotonina. Un estudió demostró que la SAM daba buenos resultados en pacientes que no habían experimentado ninguna mejoría con la administración de antidepresivos convencionales. Otros test clínicos indican que esta sustancia también puede aliviar la osteoartritis y contribuir a la reparación del hígado. Toma un suplemento de SAM a base de vitaminas B_6 y B_{12}. Te recordará lo que ya sabes: que la vida merece la pena.

Ácido Fólico:
Combatiendo Trastornos Fatales

Es imposible predecir quién contraerá un trastorno fatal asociado a la edad como, por ejemplo, Parkinson o Alzheimer, pero por lo menos podemos reducir las probabilidades de que ocurra prestando atención a las observaciones científicas. Los especialistas han observado que las personas de edad avanzada suelen presentar deficiencias de folato, que impide a las vitaminas B_6 y B_{12} intervenir en la secreción hormonal, sintetizar el ADN y construir la capa protectora alrededor de los nervios. Según parece, estas tres tareas son fundamentales en las defensas del organismo contra estas enfermedades. El folato está presente en muchos alimentos, incluyendo las espinacas, col rizada, remolacha, acelga, coles de Bruselas, espárragos y brécol (¡cuidado!: el calor destruye esta vitamina; así pues, consúmelos crudos). Éste es un caso en el que la forma sintética, el ácido fólico, se absorbe más fácilmente por el organismo que la natural. Para personas mayores de 50 años se recomienda una dosis de 800 microgramos al día.

Probióticos:
Sé Proactivo

La mayoría de la gente en Estados Unidos ha tenido que recurrir alguna que otra vez a los antibióticos, un «actor» clave en el modelo occidental de lucha contra la enfermedad. Pensemos en esta palabra: *anti* significa «contra» y *bios* significa «vida». Los antibióticos destruyen pequeños organismos en el organismo sin diferenciar entre los beneficiosos, tales como las bacterias intestinales, y los invasores peligrosos. Ésta es una de las razones de que la diarrea se manifieste como efecto secundario de la ingesta de antibióticos. Tomar un suplemento de lactobacilos, un probiótico, o promotor de bacterias «buenas», restaurará los organismos sanos necesarios para la digestión; pero eso no es todo.

Los lactobacilos inhiben el crecimiento de *H. Pylori*, el microbio responsable del 90% de úlceras de estómago, y desde luego, las úlceras jamás han contribuido a que se alcance una edad demasiado avanzada.

Angina de Pecho:
Un «Salvia» Consejo

Si sientes dolor y constricción en el pecho y el cuello, sobre todo en el lado izquierdo, acude inmediatamente al servicio de urgencias del hospital más próximo: éstos son síntomas de angina de pecho, un trastorno cardiovascular grave. La medicina china considera esta patología como un estancamiento de energía en el corazón. Ni que decir tiene que deberás tomar medidas radicales, en particular dejar de fumar y eliminar las grasas de origen animal de tu dieta. Es el momento de diseñar un plan de salud coronaria a largo plazo. A partir de ahora, tu estilo de vida debería incluir ejercicio regular, mucha fibra en la dieta, aceite de pescado y, por supuesto, eliminar el estrés a toda costa.

Para tratar la angina de pecho, la prescripción china tradicional consiste en trocear una raíz de salvia roja o banderilla y hervirla brevemente, 8 minutos como máximo. (Asegúrate de usar salvia de hojas rojas; la de hojas verdes no tiene el mismo efecto.) Bebe el líquido a modo de té endulzado con miel. También son eficaces las varitas de canela, cártamo y peonía roja, que puedes encontrar en comercios de productos dietéticos y naturales.

Hepatitis:
Ayuda Herbal

Vivir muchos años está estrechamente relacionado con un hígado sano. El hígado ejerce el papel crucial de filtrado de toxinas en el organismo, pero, cuando contraes hepatitis vírica, deja de funcionar. Entre los síntomas de esta enfermedad se incluyen fatiga severa, náuseas, dolor muscular e ictericia, y la recuperación puede llevar meses. La semilla del cardo mariano contribuye a la reconstrucción de las células hepáticas dañadas. Tritura una cucharadita de semillas y ponlas en remojo en un vaso de agua durante 10 minutos antes de beber. Repítelo tres veces al día. El diente de león crudo es otro poderoso miembro del «equipo de rescate», y el ginseng y el regaliz restauran la energía.

La gran arma de choque es el ajenjo oriental, que se puede tomar fresco o en cápsulas. Antes de administrar esta potente hierba, consulta a un médico especializado en medicina china, el cual determinará la dosis correcta.

Deja de Fumar
con Ayuda
de la Naturaleza

Cuando te embarques en tu programa de longevidad, deberás introducir algunos cambios en la dieta, el estilo de vida y el entorno y, si quieres adoptar una actitud estricta en relación con tu objetivo, es probable que te propongas dejar de fumar. Lo primero que deberías hacer es analizar los impulsos que te llevan a encender un cigarrillo. ¿Hábito? ¿Estrés? ¿Ansia física? Recurre a la meditación y otras fórmulas antiestrés de este libro para empezar a atacar los orígenes de la necesidad de fumar. Cuando hayas tomado una firme decisión al respecto, puedes limpiar tu organismo de nicotina con una combinación de ayudas herbales que contribuirán a reequilibrar tus procesos químicos orgánicos. La gardenia, gotu kola, zarzaparrilla, genciana y raíz de regaliz son algunos de los «apoyos» botánicos naturales que puedes utilizar. Los encontrarás en las tiendas de productos dietéticos y naturales.

Tiroides:
El Equilibrio Necesario

La tiroides es el marcapasos del metabolismo. Esta pequeña glándula situada en el cuello usa yodina para controlar el ritmo de actividad en las células del organismo. Una tiroides sobreactiva (hipertiroidismo) puede causar palpitaciones, sudoración, pérdida de peso e hinchazón de ojos, y si es hipoactiva (hipotiroidismo) puede provocar aumento de peso, letargia, pérdida de cabello y somnolencia. Si sufres hipertiroidismo, bebe una infusión de menta de lobo para aliviar las palpitaciones, y consume bulbo de fritilaria en concentrado líquido o tabletas.
La acupuntura también puede ayudar a reducir la sobreproducción de hormonas tiroideas y, si te aqueja el hipotiroidismo, toma algas marinas en la ensalada o en forma de suplementos para restablecer el equilibrio, y practica ejercicio aeróbico para estimular la producción hormonal de la glándula.

«Vitaminas Grasas»:
Protégete del Cáncer de Mama

Los ácidos grasos esenciales son, por así decirlo, «vitaminas grasas» que el organismo utiliza para construir membranas celulares. También son importantes en la capacidad del cuerpo para reducir la inflamación y prevenir las múltiples enfermedades degenerativas asociadas a la misma. Algunos estudios indican que las mujeres con una elevada ingesta de ácidos grasos esenciales (AGE) están mucho menos expuestas a desarrollar cáncer de mama. Entre las fuentes dietéticas de los AGE se cuentan los aceites de semilla de lino, borraja, nuez y cáñamo. Puedes consumir estos aceites con la ensalada, o también en forma de suplemento (una cucharada diaria). En cualquier caso es fundamental que los AGE procedan de aceites orgánicos prensados en frío.

Candidiasis:
Control de la Ecología Orgánica

En general, las infecciones vaginales son, como cualquier mujer afectada podrá corroborar, realmente dolorosas, pero el organismo que produce la candidiasis puede ser mucho más molesto que una simple infección de fácil tratamiento. A menudo se reproduce en tu interior sin que te des cuenta hasta que su población se desborda. Las dietas sobrecargadas de azúcar, harina blanca y alimentos fermentados fomentan la proliferación crónica de candidiasis, contribuyen a la mala absorción del alimento y, finalmente, a una mala nutrición si no se restaura la ecología del organismo.

Para combatirla, elimina la harina blanca, azúcar, grasas y alimentos procesados de tu dieta, y come sólo cereales integrales y verduras, añadiendo sustancias antifúngicas naturales, como extracto de semilla de limón, ácido caprílico y suplementos a base de ajo, que encontrarás en tiendas de productos dietéticos. Asimismo, la repoblación del entorno intestinal con suplementos de acidofilus o yogur de leche de cabra natural durante tres o cuatro meses reajustará gradualmente el equilibrio orgánico.

Ex Alcohólicos:
La Esperanza

No vayas a creer que tus perspectivas de longevidad son escasas si tu organismo sufrió las consecuencias del alcoholismo en el pasado. La medicina tradicional china usa sustancias naturales para tratar la cirrosis en el hígado con un éxito extraordinario. Tres hierbas resultan especialmente eficaces para regenerar este órgano vital: la eclipta (*han lian cao*) es un tónico hepático, antifúngico y antiinflamatorio; la raíz de bupleurum (*chai hu*), utilizado en el tratamiento de un hígado agrandado o dañado químicamente, y también por la hepatitis, se puede tomar en cápsulas o tintura; y el cardo mariano (*Silybum marianum*) mejora la función hepática en pacientes con cirrosis. Todas estas hierbas se pueden tomar en forma de tintura o té, o también como parte de una fórmula personalizada. Consulta a un herbolario cualificado las dosis adecuadas.

«¡Avisad a los Bomberos!» de la Naturaleza

Una inflamación en el organismo es algo así como un incendio con todo su poder destructivo. Investigaciones recientes indican que las inflamaciones son la raíz de todas las enfermedades degenerativas, tales como los trastornos cardiovasculares, Alzheimer, Parkinson y demencia senil, que en sus estados más graves son incurables y fatales. Pero en situaciones de este tipo, los «bomberos» naturales acuden siempre al rescate. Frutas como la papaya, piña y kiwi contienen una enzima antiinflamatoria llamada bromelaína (o bromelina) capaz de reducir el proceso inflamatorio, modular las respuestas inmunológicas hiperactivas que lo causan y aliviar alergias. Así pues, antes de recurrir a un fármaco antiinflamatorio, prueba a comer abundantes cantidades de papaya, piña y kiwi y, si es posible, añádele cerezas y uva, ricas en fitoquímicos que también combaten la inflamación.

¡Ojo con los Medicamentos!

No es de extrañar que cada vez sea mayor el número de personas que están optando por prácticas alternativas como la acupuntura. Según un estudio, los efectos secundarios de los medicamentos farmacológicos matan cada año a 140.000 personas en Estados Unidos y le cuestan al país más de 136 mil millones de dólares también anualmente. Estas cifras sólo incluyen los efectos secundarios de los fármacos, que constituyen la quinta causa más importante de muerte en ese país. Por el contrario, y según las investigaciones y estadísticas de diez años, las muertes asociadas a la administración de remedios herbales apenas llegan a 50 cada año. La mayoría de las hierbas comercializadas son sustitutos seguros y eficaces de los medicamentos farmacológicos. Así, por ejemplo, la palma enana americana puede reemplazar al Proscar®, un fármaco usado para aliviar los síntomas del agrandamiento de próstata en los varones; la valeriana es un sustituto herbal de las píldoras para dormir, que a menudo crean adicción; y la *Boswellia carteri* (incienso) es un potente antiinflamatorio natural que sustituye a los agentes no-esteroides antiinflamatorios, que causan trastornos gástricos. Si te preocupa la calidad de vida a largo plazo, busca un médico especializado en remedios alternativos que te recete fórmulas naturales.

Longevidad
sin Artritis

Más de 40 millones de norteamericanos, es decir, uno de cada seis, sufre alguna forma de artritis, pero no te preocupes, pues no tiene por qué ocurrirte a ti. Estudios recientes indican que la osteoartritis no es una parte inevitable del proceso de envejecimiento. Presta atención al siguiente programa: haz ejercicio moderado y regular; sigue una dieta rica en antioxidantes tales como vitaminas C, A y E; toma el sol con moderación para absorber vitamina D; consume abundantes alimentos ricos en enzimas que contengan bromelaína, como por ejemplo la papaya y la piña; toma suplementos tales como glucosamina y condroitina, que fortalecen las articulaciones y los cartílagos; y toma jengibre, cúrcuma y canela, tres hierbas que contribuyen a reducir la inflamación y mejorar la circulación. Asimismo, a algunas personas puede darles buen resultado evitar alimentos de la familia de las solanáceas (tomates, patatas, berenjenas y pimientos), que contienen un alcaloide vegetal llamado solanina, el cual, según algunos estudios, puede aumentar el dolor en los afectados de osteoartritis.

De la Boca
del Caballo

Uno de los problemas circulatorios más comunes a medida que envejecemos es el debilitamiento de los vasos sanguíneos, en especial las venas, lo que a menudo provoca venas varicosas. Como de costumbre, la naturaleza puede ayudar: el castaño de Indias, una de las plantas favoritas de los caballos (de ahí su nombre en latín, *Aesculus hippocastanum*), es un remedio natural y preventivo contra las venas varicosas, venas reticulares y rotura de capilares. Fortalece el sistema vascular tonificando las paredes venosas, facilitando así el flujo de sangre de regreso al corazón. El castaño de Indias evita la dilatación de las venas y ha demostrado su eficacia para reducir la hinchazón de las piernas (sus fibras se utilizan en la confección de medias especiales de sujeción). Puedes comprarlo en comprimidos o gotas en cualquier tienda de productos dietéticos y naturales.

Lo que el Viento se Llevó

Los resfriados comunes y la gripe pueden provocar graves enfermedades respiratorias tales como la neumonía, una de las causas más importantes de muerte entre las personas de edad avanzada. La medicina oriental considera los resfriados y la gripe como trastornos del «viento». Un famoso remedio chino para evitar o rechazar el viento invasor consiste en raíz de astrágalo, raíz de *fang feng*, bayas de chizandra y atractilodes (*bai zhu*). La medicina occidental los llama adaptógenos, pues potencian los mecanismos de defensa del organismo y mejoran el funcionamiento del sistema inmunológico en situaciones de estrés. Se venden por separado en las tiendas de productos dietéticos y naturales o en una fórmula conocida como «Pantalla de Jade» en las farmacias que venden productos chinos. Asimismo, lávate las manos con frecuencia con agua y jabón e inhala vapores de tisana de eucalipto, orégano y lavanda, que son antibacterianos, antivirales y descongestivos.

Los Analgésicos Naturales
son Importantes para la Longevidad

El dolor, en particular el crónico, es el factor número uno por el que la gente deja de hacer ejercicio, cuando en realidad éste es fundamental para la longevidad. Tu plan de curación debería incluir tratamientos destinados a solucionar la causa subyacente del dolor al tiempo que lo alivien eficazmente. La corteza de sauce blanco contiene salicina, un compuesto presente en la aspirina (a decir verdad, la aspirina se descubrió y empezó a elaborarse a partir de los extractos de esta corteza). Además de sus propiedades analgésicas, la corteza de sauce blanco es un anticoagulante que previene la formación de coágulos y el espesamiento de la sangre, los cuales pueden provocar infartos y hemorragias cerebrales. Una de las principales ventajas de usar la corteza de sauce blanco en comparación con su homólogo farmacéutico es que no causa trastornos gástricos ni erosiona los tejidos del estómago.

La «Segunda Primavera» de la Mujer

En la cultura china se llama así a la menopausia, ya que el final de los años fértiles de la mujer da paso a una etapa de la vida caracterizada por la sabiduría. Sin embargo, pueden aparecer síntomas de debilitamiento al disminuir la producción de estrógenos: sofocos, insomnio, jaquecas, alteraciones del ánimo, sequedad vaginal, pérdida de elasticidad cutánea y de memoria. Para facilitar la transición, recomiendo consumir alimentos ricos en fitoestrógenos (estrógenos vegetales más débiles que la propia hormona), como manzanas, arroz integral, lechuga, zanahoria, judías verdes y legumbres, remolacha, cítricos, copos de maíz, avena, patatas, rábano, hinojo y soja.

La soja es rica en genisteína, la cual, al igual que los estrógenos, protege de la osteoporosis y otros síntomas asociados a la edad, aunque otros alimentos también contienen cantidades similares de estas sustancias. Por ejemplo, la mayor parte de leguminosas son ricas en fitoestrógenos. Es aconsejable realizar ejercicio cardiovascular regular con pesas y otras actividades energéticas como el tai chi y el yoga, esenciales para gozar en plenitud del despertar de la segunda primavera.

Prolonga tu Vida Sexual

La andropausia, versión masculina de la menopausia, se inicia alrededor de los 50 años, al empezar a declinar los niveles hormonales, lo que a menudo provoca la disminución del deseo y rendimiento sexuales. Asimismo, a esta edad la mayoría de los varones han desarrollado cierta cantidad de placa que se ha acumulado poco a poco en el sistema circulatorio, reduciendo el riego sanguíneo al pene. Estos dos factores pueden producir disfunción eréctil, para muchos hombres el aspecto más angustioso del envejecimiento.

La medicina china ofrece un remedio herbal a base de asta de ciervo (en fase de terciopelo), raíz de ginseng, raíz de fruta del diablo (mora de la India), raíz de senega china y maca, entre otros, que se utiliza para incrementar la circulación de la sangre, activar la función testicular y estimular el sistema hormonal. Algunos estudios demuestran que la maca, de moderado efecto andrógeno, sirve para estimular los nervios sensoriales en el área del pene.

También es recomendable realizar mucho ejercicio cardiovascular, reducir el estrés, dormir lo suficiente y seguir una dieta rica en cinc, presente en las ostras, semillas de calabaza y girasol, cacahuetes, nueces de Brasil, anacardos, verduras y legumbres, arroz integral y germen de trigo.

Longevidad
También para la Libido Femenina

A medida que gana años, la mujer empieza a experimentar un considerable descenso de interés en la actividad sexual, problema debido, en gran medida, a un declive en los niveles de estrógenos y testosterona. Algunos de los factores que pueden provocar esta situación son el estrés, escasa autoestima (deterioro del aspecto físico), fatiga y envejecimiento de la pareja. Para preservar y potenciar el aspecto hormonal de la libido, a menudo recomiendo a mis pacientes una fórmula herbal para estimular la producción endocrina, la vitalidad y la energía, que combina sauce blanco, eficaz tanto para la potencia masculina como para la femenina, con hierbas como el *dong quai*, ñame silvestre y ginseng, además de especias como el anís, jengibre y cúrcuma.

Digestión:
Tres Respuestas Herbales

Entre los diez fármacos más vendidos en Estados Unidos, tres están destinados específicamente al tratamiento de la indigestión y la acidez. Esto se debe a que vivimos en una cultura marcada por una dieta deficiente y una peor digestión, así como un estado general de salud poco satisfactorio y la corta esperanza de vida asociada al mismo. En este libro encontrarás muchos consejos acerca de prácticas que te pueden ayudar, como por ejemplo controlar el peso, comer poco y a menudo, masticar bien, reducir el estrés y evitar el café, tabaco, alcohol y alimentos fritos. Asimismo, tomar determinadas hierbas con regularidad puede prevenir o aliviar los trastornos digestivos. La menta tiene innumerables propiedades bien documentadas: aumenta las secreciones gástricas saludables, relaja los intestinos, aligera los espasmos, asienta el estómago y atenúa los gases. El jengibre, por su parte, también ampliamente estudiado, ha demostrado su eficacia en la protección de la pared intestinal y el equilibrio de los jugos gástricos. La manzanilla asimismo es excelente para asentar el estómago. Puedes combinar las tres hierbas y tomarlas en infusión durante las comidas.

Visión Total

En nuestra población cada vez más envejecida, millones de personas sufren trastornos visuales relacionados con la edad, tales como el glaucoma, cataratas y degeneración macular, que pueden acabar en ceguera. Algunos remedios naturales pueden ayudarte a prevenir la pérdida de visión. El mirtilo, primo hermano del arándano, estimula el riego sanguíneo a los nervios ópticos y ha demostrado ser una rica fuente de antioxidantes. Entre otros agentes herbales destaca la mora de la vista o cereza Goji, una hierba china usada tradicionalmente para fortalecer la visión; la flor del crisantemo, que reduce la presión en el ojo; y la menta, rica en antioxidantes y un tratamiento tradicional para aclarar la visión. Todas estas hierbas se pueden tomar en forma de suplemento en caso de no estar disponibles en la tienda. La luteína, una sustancia presente en los vegetales de hoja verde oscuro, ayuda a prevenir las cataratas, y una dosis diaria de vitamina E puede reducir a la mitad el riesgo de desarrollar esta condición. Y por supuesto, come zanahorias (su contenido en vitamina A es extraordinario) y cuida tus ojos evitando las sustancias irritantes, la fatiga ocular y la excesiva luz del sol (o usa gafas que te protejan de los rayos ultravioleta).

Mente Despejada
con Energéticos Naturales

La falta de energía y vitalidad tal vez sea la queja más habitual de las personas de edad avanzada. Pero, en lugar de recurrir a fuertes estimulantes como el café, ¿por qué no pruebas algunos potentes aunque inocuos energéticos del estante de especias que tienes en la cocina? Algunos estudios han demostrado que los compuestos que se pueden encontrar en hierbas y especias cotidianas pueden incrementar la función intelectiva y la vitalidad física. Los investigadores han observado que uno de ellos en particular, la cineola, potencia la capacidad de las ratas de orientarse en un laberinto. De entre las hierbas ricas en cineola, el cardamomo encabeza la lista, seguido del eucalipto, la menta, el romero y el jengibre. Sustituye la taza de café por una infusión de estas hierbas; te sentirás mucho mejor.

Longevidad:
Alto y Claro

¿Por qué perdemos agudeza auditiva a medida que envejecemos? El riego sanguíneo al nervio auditivo disminuye, al igual que el aporte al cerebro. Desde tiempos remotos la medicina oriental ha utilizado la acupuntura para aumentar el riego sanguíneo a la región auditiva y normalizar su canalización, lo cual puede aliviar el zumbido en los oídos y también la pérdida de capacidad auditiva. ¿No encuentras un acupuntor? Hay cosas que puedes hacer tú mismo para mejorar el oído. El ejercicio cardiovascular diario potencia la función auditiva incrementando la circulación general de la sangre en el organismo. La niacina, en forma de suplemento, o la vitamina B_3, ayudan a dilatar los capilares, mejorando el riego de la sangre hasta los vasos sanguíneos en el oído interno, los cuales alimentan el nervio. Otra vitamina B, la colina, es esencial para el organismo; produce un neurotransmisor clave: la acetilcolina. Algunas fuentes ricas en niacina y colina son las legumbres y verduras, especialmente las vainas de soja, germen de trigo, cereales integrales, aguacate, levadura de cerveza, cacahuetes y pescado.

CAPÍTULO 3: ¿Dónde Estás?
Entorno, Ecología y Comunidad

Desde las accidentadas montañas de Armenia hasta los exuberantes valles de Ecuador, y desde las prístinas elevaciones del Himalaya hasta la tranquila isla de Okinawa, no es casualidad que abunden las personas centenarias. Estos milagrosos «Shangri-la» comparten algunas características: aire puro, agua pura, poco estrés, comunidades cerradas y entorno impoluto. Cuando se trata de longevidad, el entorno es la mitad de la ecuación.

La mayoría de la gente en el mundo tiene que enfrentarse a los efectos secundarios del progreso moderno: el ataque de la contaminación y las toxinas. El progreso científico y tecnológico ha mejorado la higiene y la asistencia médica, contribuyendo al aumento de la esperanza de vida en todo el mundo. Pero lo que se ha ganado en calidad y duración de vida está siendo menoscabado por los subproductos tóxicos de esa civilización industrial de la que tanto nos jactamos.

Para disfrutar de buena salud es fundamental estar en armonía con el entorno. No sólo hemos creado un medio ambiente potencialmente canceroso, sino que también hemos complicado la capacidad de supervivencia de otros organismos en la naturaleza. Desde el principio de la revolución industrial centenares de miles de especies se han extinguido en nuestro planeta a causa de las actividades humanas, y si no prestamos atención a los signos de advertencia, es posible que finalmente sea la propia especie humana la que acabe desapareciendo.

La armonía con el entorno también se aplica a los ámbitos sutiles. Las energías que se entrecruzan en la superficie de nuestro planeta han sido consideradas desde tiempos inmemoriales por la sabiduría china. Esta interrelación, invisible, aunque de poderosa influencia en la salud, bienestar y éxito en la vida, se llama Feng Shui, literalmente «viento y agua». Al igual que la acupuntura restaura el flujo de energía a los meridianos, la alineación del entorno doméstico y profesional con los meridianos terrestres aporta a la vida un flujo de energía positiva.

El entorno incluye el medio humano en el que trabajas y vives, pues desempeña una función muy importante en el éxito de tu plan de longevidad. En efecto, la comunidad puede fomentar la salud o inducir estrés. Rodéate de personas que te apoyen y comparte valores positivos.

Finalmente, las influencias cósmicas a mayor escala, como las estaciones y los factores atmosféricos, pueden tener un profundo impacto en tu salud. Por ejemplo, los virus y trastornos anímicos estacionales son mucho más comunes en invierno, mientras que el asma y las enfermedades respiratorias alcanzan su punto álgido en otoño. Si comprendes los ritmos de la naturaleza y cómo los cambios inciden en tu salud, te mostrarás proactivo, orientado a la adaptación y, en consecuencia, a la prevención de las enfermedades. Éste es el verdadero significado de vivir en armonía con el entorno.

La Hierba más Verde
no Siempre es la Mejor

Los herbicidas contienen productos químicos tóxicos para el sistema nervioso de los que incluso se ha demostrado que provocan cáncer. Si quieres vivir muchos años, deja de utilizar herbicidas químicos y fertilizantes artificiales en el césped. Sustitúyelos por abonos de compost orgánico o estiércol, arranca las malas hierbas con regularidad, resiembra áreas agostadas y siega el césped cuando haya crecido demasiado. En cualquier caso, no te excedas en la siega, pues las raíces quedarán a la vista y la hierba será más vulnerable a las enfermedades. Evita asimismo entretenerte demasiado tiempo en los campos de golf, sobre todo cuando hace mucho sol; el calor extremo potencia los efectos nocivos de los herbicidas.

Combustión Limpia
para Vivir Más

Todos los esfuerzos por proteger la salud resultan en vano si se produce un accidente de consecuencias fatales. Unas cuantas medidas de seguridad pueden reducir significativamente estos riesgos. El envenenamiento por monóxido de carbono mata a más personas en casa que la ingestión accidental de sustancias químicas. Dado que los productos derivados de la combustión son inodoros, la mayoría de la gente no es consciente del riesgo al que está siendo expuesto. Inspecciona con regularidad la llama de los fogones de la cocina y del calentador de agua, y si observas una llama amarilla o de forma inusual, avisa de inmediato a la compañía del gas; podrías estar respirando monóxido de carbono. Instala una puerta hermética entre la casa y el garaje, y tenla siempre cerrada, en especial al arrancar el motor y, antes de arrancarlo, abre primero el portón de salida. Finalmente, aprovecha la menor oportunidad para ventilar la casa.

Cuidado con los Gases
en el Lugar de Trabajo

Los estándares de ahorro de energía dictan que las viviendas
y edificios de oficinas modernos estén herméticamente
cerrados para evitar variaciones de temperatura. Esto
contribuye a desarrollar lo que se conoce como «síndrome del
edificio enfermo», un trastorno inespecífico que afecta a los
ocupantes de una estructura. Los gases emitidos por la
moqueta, mobiliario, productos de limpieza, insecticidas,
ambientadores, impresoras y otros productos desencadenan
respuestas del sistema inmunológico que, al final, acaban
mermando su eficacia y provocando envejecimiento
prematuro. Haz circular el aire fresco en casa o la oficina
abriendo las ventanas a primera hora de la mañana y última
de la tarde, momentos en que el aire del exterior es más
limpio.

Matar Bichos
puede Matar tus Células

Los pesticidas en aerosol que se usan en casa para matar hormigas, cucarachas y otras plagas están fabricados con productos químicos nocivos que acortan la esperanza de vida. Los investigadores han demostrado que los niños que viven en casas donde se utilizan pesticidas tienen un riesgo mucho mayor de contraer leucemia infantil.

Elige uno de los múltiples productos alternativos, sin sustancias químicas, que se venden en las tiendas de productos dietéticos y naturales.

Radón:
Verifica los Niveles

En los espacios abiertos, el gas radón, radiactivo, se encuentra en concentraciones tan bajas que no supone ninguna amenaza para la salud humana. Sin embargo, en el interior de una vivienda se puede acumular hasta alcanzar niveles carcinógenos. Su presencia también varía según las regiones. Las áreas ricas en depósitos de uranio muestran una densidad de radón particularmente alta. Este gas provoca alrededor de 20.000 casos de cáncer de pulmón cada año. Para averiguar si tu casa o tu oficina tienen niveles elevados de radón, puedes comprar un detector especial y luego enviar los resultados de la lectura a un laboratorio para su análisis. Las reglas básicas para minimizar la exposición a este gas son muy simples: sella las grietas en el pavimento del sótano, no duermas ni pases períodos prolongados de tiempo en habitaciones subterráneas y mantén bien ventilada la vivienda y el lugar de trabajo.

Aire:
¡Peligro!

A pesar de nuestros esfuerzos por comer bien, hacer ejercicio y mantener unos niveles de estrés moderados, la contaminación pueden acortar la vida. Y esto no es sólo un problema de exteriores, sino que las partículas en suspensión y los gases también pueden contaminar el aire que respiramos en ambientes cerrados. En la actualidad, la tecnología de vanguardia en la purificación de aire es la filtración PAAE (partículas de aire de alta eficacia), desarrollada originariamente para hospitales especializados en tratamientos de asma. Sus filtros de carbón filtran el polvo, la pelusilla de los animales domésticos, el cabello, polen, moho, ácaros, humos de escape de los automóviles y partículas de hollín de impresoras y fotocopiadoras. Algunos sistemas combinan el filtrado PAAE con un dispositivo de rayos ultravioleta que eliminan las bacterias, virus y hongos en suspensión. Los comercios de electrodomésticos venden equipos portátiles para el hogar. Anota la fecha en el filtro y cámbialo a intervalos regulares.

Por Mucho que Corras
no te Librarás
de la Contaminación

Correr es una excelente forma de ejercicio cardiovascular que ayuda a contrarrestar las largas horas de sedentarismo en el lugar de trabajo. Pero los corredores en las grandes urbes contaminadas respiran más toxinas que las demás personas, y así aumentan el riesgo de enfermedades pulmonares. Para minimizar la cantidad de contaminantes que respiras, sal a correr a primera hora de la mañana, cuando el tráfico de automóviles aún sea escaso, o hazlo dentro de casa sobre una cinta. Mantén la atmósfera bien ventilada (ventanas abiertas) o usa un buen equipo de filtrado de aire.

Los Alimentos:
Dales un Buen Baño

A ser posible, compra siempre alimentos biológicos, sin pesticidas ni productos químicos. Y si no es posible, lávalos y frótalos enérgicamente con una mezcla de agua caliente y sal o unas gotitas de detergente líquido para lavavajillas. Los productos más frágiles puedes ponerlos en remojo en la misma solución; luego enjuágalos bien. Así desincrustarás las capas externas de pesticidas, fungicidas y cera, aunque por desgracia no conseguirás eliminar las sustancias químicas absorbidas por la tierra durante el período de cultivo. En cualquier caso, si tienes la oportunidad de consumir productos cultivados en granjas biológicas, no la desaproveches.

Pesticidas:
Pélalos

A menos que las frutas y verduras que consumes sean de
cultivo biológico, pelar la corteza exterior puede ser la mejor
manera de reducir la exposición a pesticidas perjudiciales.
Los productos con la menor cantidad de residuos pesticidas
son los frutos que tienen la piel dura, como el melón,
sandía, calabaza, plátano, piña, cítricos y aguacates, y entre
los de mayor nivel residual se incluyen algunos que se
pueden pelar (pepinos, berenjenas, melocotones, ciruelas...)
y algunos que es preferible consumir sólo si son biológicos,
tales como la uva, cerezas, apio, fresas y tomates. Ni qué
decir tiene que, al mondar, se pierde una parte de los
valiosos nutrientes presentes en la piel.

Cuando Limpies la Casa
no te Contamines

La búsqueda de la longevidad también significa protegerse
en casa de los productos que pueden comprometer la salud.
Los detergentes y limpiadores domésticos que contienen
lejía u otras sustancias químicas son perjudiciales para el
organismo si se inhalan. Afortunadamente, en la última
década han aparecido en el mercado productos de limpieza
naturales que no contaminan el entorno. O mejor aún,
algunos incluso se pueden elaborar en casa. Por ejemplo, el
vinagre diluido es un limpiador muy eficaz para la cocina y los
azulejos del baño, inodoros, ventanas, espejos y alfombras.
Asimismo, el ácido acético en el vinagre evita la acumulación
de bacterias y la formación de moho. Mezcla 1 vaso de
vinagre blanco destilado en 1 vaso de agua y úsalo como lo
harías con cualquier producto de limpieza. Para fregar, frota
con bicarbonato sódico en lugar de con productos clorados
en polvo.

El Horno:
Desintoxícalo

Tal vez estés cenando un menú a base de productos
biológicos preparados con el mayor esmero..., pero ¿has
cocinado en superficies tóxicas? Los productos de
limpieza ordinarios para el horno y los fogones son
tóxicos. Para quitar la grasa, utiliza bicarbonato sódico.
Simplemente pulverízalo, déjalo reposar cinco minutos y
luego frota la superficie con estropajo de aluminio o un
estropajo al uso. Las manchas más obstinadas puedes
eliminarlas mezclando detergente líquido para
lavavajillas, bórax y agua caliente. Pulveriza la mezcla
y espera veinte minutos antes de frotar.

Polillas:
Combate Natural

Nada más desagradable que encontrar un agujero de polilla en aquel jersey nuevo que compraste el invierno pasado. No recurras a las bolas antipolilla; contienen un compuesto de benceno que provoca cáncer. Entre las alternativas naturales están las bolas o varitas de cedro, la caléndula seca, la lavanda, la hierba de limón y el poleo de montaña (planta del mosquito). Lo encontrarás en las herboristerías o en tiendas de productos dietéticos y naturales. La opción más segura es colocar la ropa en bolsas de plástico al vacío para guardarlas.

Papel sin Blanquear:
Un Brindis por Ti
y por la Tierra

En estado natural, los productos derivados del papel no son blancos. El papel blanco ha sido blanqueado con productos químicos que dejan, a su paso, densos residuos de dioxina, un carcinógeno. Estos residuos se encuentran en los filtros para el café, toallitas de papel, papel higiénico, servilletas, toallitas faciales y pañales. Cuando llegan al vertedero en forma de desperdicios, la tierra absorbe la dioxina y contamina las aguas subterráneas. Los productos de papel sin blanquear son buenos para ti y para el medio ambiente.

¿Ropa Limpia?
¿Tóxica, Tal Vez?

La limpieza en seco tradicional utiliza un disolvente químico llamado percloroetileno para eliminar las manchas. Por desgracia, sus residuos químicos son tóxicos para los humanos. A menudo la gente sufre dolores de cabeza, sinusitis, siente que le falta el aliento y se marea al ponerse ropa limpiada en seco. El percloroetileno también provoca cáncer en los animales. Para minimizar tu exposición, airea las prendas limpiadas en seco durante por lo menos veinticuatro horas antes de guardarlas en el armario, y para mayor seguridad, busca limpiadores en seco basados en métodos ecológicos de limpieza no química.

Los Muebles
no Tienen por qué
Ser Nuevos

Ese fuerte olor en los muebles nuevos, especialmente en las piezas de madera prensada y contrachapados, se debe en gran medida al formaldehído que contienen los adhesivos. Este compuesto puede causas graves reacciones alérgicas y es tóxico en exposiciones a largo plazo. Es preferible comprar muebles de segunda mano, o que lleven tiempo en exposición, pues ya se han oreado lo suficiente. Si quieres evitar el formaldehído, usa muebles de madera natural, sin prensar ni contrachapar.

¿Dónde Vives?: Investiga tu Entorno

A nadie le gusta vivir cerca de vertidos tóxicos, plantas de energía nuclear o depósitos de residuos peligrosos, pero éstos sólo son algunos de los riesgos medioambientales más evidentes. Con el desarrollo cada vez más vertical de la vivienda, pueden pasarnos inadvertidas innumerables toxinas derivadas de los usos anteriores de una propiedad. Por ejemplo, vivir cerca de un terreno que en su día fue un vertedero municipal podría significar una exposición diaria al gas metano. De un modo similar, vivir en la dirección del viento de una gasolinera o a un bloque de una tienda de limpieza en seco te expone a los gases del benceno y percloretileno. Investiga el pasado de tu vecindario y verifica las pautas del viento antes de comprar o alquilar una vivienda. Prevenir la exposición a toxinas redunda en una vida más sana.

Pulso Electromagnético:
El CEM Puede
Causar Problemas

El sistema bioeléctrico del cuerpo humano, al igual que el de la Tierra, «late» a un ritmo determinado: ambos operan en un campo electromagnético (CEM) a 7,8 herzios. Sin embargo, en el cableado eléctrico doméstico, el ritmo de pulsación del CEM es de 60 herzios. Dado que la mayoría de las funciones orgánicas están reguladas por el flujo del CEM, la disparidad entre el pulso del cuerpo y el del entorno inmediato puede provocar «averías» y desequilibrios. Por ejemplo, el riesgo de desarrollar cáncer en el caso de niños que viven cerca de líneas de alta tensión es el doble de los demás. Para minimizar la exposición, mantente a una distancia de seguridad de cualquier fuente de CEM: entre 1,5 y 2 m de electrodomésticos tales como microondas, televisores, frigoríficos, potenciómetros de la luz, calentadores eléctricos, lámparas fluorescentes y relojes eléctricos.

Aire Fresco
Dentro de Casa

Nuestra casa debería ser nuestro cielo, un lugar que nutra la salud y sosiegue el espíritu. Hoy en día, sin embargo, los materiales sintéticos utilizados en la construcción, instalaciones y equipos eléctricos emiten sustancias químicas orgánicas volátiles (SOV) en el entorno doméstico. Estos gases tóxicos incluyen el formaldehído de las bolsas de plástico, benceno de los revestimientos de las paredes y xileno de las pantallas de ordenador. Estos contaminantes del aire de interior agravan las alergias y la fatiga y, en casos graves, pueden provocar cáncer y malformaciones en el feto. ¡Madre Naturaleza al rescate! Las plantas son nuestros mejores purificadores. Producen oxígeno al tiempo que eliminan las SOV. Las más eficaces son las palmeras de interior, la hiedra, los ficus y los crisantemos. Llena tu casa de plantas de interior y disfrutarás de aire fresco.

Agua:
Generosa en Vida

Dado que el cuerpo humano está compuesto de casi un 90% de agua, usar agua pura para beber y bañarse es esencial para la salud. El problema en los días que corren es encontrar fuentes de agua no contaminadas. Las aguas de las redes municipales y pozos rurales contienen más de 700 contaminantes, algunos de ellos carcinógenos. Las investigaciones han demostrado que la exposición al agua contaminada a través de la piel también es una amenaza significativa, y por cierto, habitualmente ignorada, para la salud. Filtra el agua. Un buen sistema de filtrado de agua de amplio espectro es caro, pero te proporcionará agua de la máxima calidad para ti y tu familia. La inversión merece la pena.

Menos Plástico
en Nuestro Entorno

En la actualidad, el plástico, ligero, duradero y versátil, es un elemento omnipresente. No obstante, muchos plásticos liberan cloruro de vinilo y otros gases peligrosos capaces de provocar cáncer, malformaciones en el feto y enfermedades pulmonares y hepáticas. Asimismo imitan los estrógenos en el cuerpo, ocasionando desequilibrios hormonales sobre todo en la mujer. Además de los plásticos que están a la vista en los televisores, ordenadores, teléfonos, cafeteras, botellas de agua y envases de alimentos, otros plásticos ocultos se esconden en los lugares más insospechados: cosméticos, tapicerías, moquetas, chicles, toallitas de papel, colchones, aislamientos y ropa de poliéster. Reduce los riesgos que suponen para tu salud minimizando su uso. Utiliza botellas de cristal, juguetes de madera, productos derivados del papel, de fibra reciclada, productos de higiene personal y cosméticos elaborados con ingredientes naturales, y prendas de vestir, sábanas, mantas y colchones de algodón o lana.

Toxinas:
Quítatelas de Encima

La ropa que llevamos y la limpieza en la tintorería pueden acortar la esperanza de vida. Los tintes contienen bendicina, fácilmente absorbible a través de la piel y hasta tal punto carcinógeno, que en Estados Unidos su uso está prohibido. Sin embargo, la mayoría de prendas de vestir que compramos hoy en día son importadas, y muchas de ellas contienen este tipo de tintes. Además, los tejidos de algodón que no necesitan planchado se tratan con resina de formaldehído, que libera gases causantes de alergias, asma, tos, dolores de cabeza, alteraciones del sueño y erupciones cutáneas. Cuando lavamos la ropa con detergentes clorados y lejía, su inhalación puede irritar o dañar el tracto respiratorio superior y los pulmones. En resumen, usa tejidos de algodón teñidos con tintes naturales, lava la ropa con bicarbonato sódico o detergente natural, y blanquéala con bórax o lejía sin clorar.

La Belleza Artificial:
Un Alto Precio

Aunque parezca una ironía, cuando usamos cosméticos estamos perjudicando nuestra salud mientras intentamos dar un aspecto más «saludable» a nuestro porte exterior. La industria cosmética es una de las mayores consumidoras de sustancias químicas perjudiciales, y lo cierto es que la legislación a este respecto es prácticamente inexistente. Algunos ejemplos los tenemos en el formaldehído en las mascarillas, las resinas plásticas en las barras de labios, el talco contaminado con asbesto en las sombras de ojos y disolventes químicos en las bases de maquillaje. Todas estas sustancias son carcinógenos demostrados o sospechosos. Puedes encontrar alternativas naturales en las tiendas de productos dietéticos y naturales a base de arcillas coloreadas, aceites vegetales y otros ingredientes que sustituyen a los productos químicos.

Cuidar el Cabello
Es Cuidar la Salud

El cuero cabelludo humano es muy poroso y absorbe fácilmente sustancias químicas perjudiciales. Desde los tintes hasta los champús y lacas en aerosol, muchos productos comerciales para el cuidado del cabello están saturados de tintes de alquitrán, amoníaco, formaldehído, resinas plásticas y fragancias artificiales que pueden provocar desde irritaciones en la piel hasta cáncer o ceguera. En las tiendas de productos dietéticos y naturales se venden innumerables alternativas naturales a estas sustancias químicas, aunque si lo prefieres, puedes elaborarlos tú mismo. Para un tinte para el cabello utiliza té o café negro si quieres conseguir un color oscuro, o zumo de limón para aclararlo. Para el champú, frota el cabello con bicarbonato sódico y luego enjuágalo a fondo. Funciona mucho mejor que los champús comercializados, que dejan residuos químicos en el cabello. El agua de naranja o con miel se puede usar como laca, y la gelatina natural, como gel. Para conservar el gel, añade un 25% de vodka al contenido del producto.

Energía Terrestre:
En Línea

El Feng Shui, o geomancia, es el estudio de los meridianos de energía que circundan y se entrecruzan en la Tierra, y la práctica de la alineación con ellos. Nuestro planeta es una especie de enorme bola imantada con cargas positivas y negativas que circulan a lo largo de sus longitudes, y su incidencia en los humanos es sutil, aunque profunda. Acondicionar el entorno en armonía con los meridianos de energía terrestres aporta salud, mientras que infringirlos causa desequilibrios y enfermedades. A ser posible, duerme siguiendo la línea de longitud norte-sur. Algunas personas aseguran descansar muchísimo mejor por la noche una vez alineada la cama. El verdadero propósito del Feng Shui es sacar el máximo partido de los dones de la naturaleza.

Tu Habitación
Es tu «Capullo»

Teniendo en cuenta que pasas casi una tercera parte de la vida durmiendo, tu dormitorio es la habitación más importante de la casa. A ser posible debería estar situado lejos de la entrada principal y de la calle, en el área más tranquila y menos transitada de la vivienda. La decoración debe ser minimalista, sin recargar, en colores tenues, tales como matices de azul, verde o gris. La iluminación, suave, que no deslumbre, sin un brillo excesivo. Si vives en un vecindario ruidoso, aísla tu habitación para poder disfrutar de una atmósfera relajante, cálida. Imagina que vives en el interior del capullo de una flor. Así deberías sentirte en tu dormitorio.

Conviene evitar los televisores y ordenadores; generan campos electromagnéticos y liberan iones positivos que pueden provocar irritabilidad y nerviosismo. Tampoco deberías colocar plantas, ya que por la noche desprenden dióxido de carbono y consumen el oxígeno en el aire. Un ambiente relajante en tu habitación te permitirá descansar mejor, algo fundamental para la buena salud y una larga vida.

Los Puntos de Energía
de la Brújula

El principio del Feng Shui se basa en el antiguo concepto taoísta de la polaridad energética. Los términos *yin* y *yang* describen los estados de energía opuestos, aunque complementarios, en el universo. Un equilibrio entre las dos polaridades contribuye a estar en una alineación benéfica de energía y a una vida sana. El *yin* encarna una carga eléctrica negativa y una energía restrictiva, y el *yang* es una carga eléctrica positiva y una energía expansiva. Las dos direcciones *yin* son el norte (polo negativo) y el oeste, la dirección del sol poniente. Por su parte, el *yang* está asociado al sur (polo positivo) y el este, por donde sale el sol.

Las actividades cotidianas también se pueden clasificar como *yin* o *yang*. Dormir, relajarse, leer y bañarse son actividades *yin*, mientras que el ejercicio físico, cocinar, practicar aficiones y estudiar son *yang*. Así pues, tu habitación y cuarto de baño deberían estar situados en la parte norte y oeste de la casa, y el despacho, la cocina, la sala de estar y el comedor, en la parte sur y este.

Fluye con,
Fluye sin

En nuestro interior, la energía y la sangre cruzan
centenares de miles de meridianos y vasos sanguíneos.
Según la medicina tradicional china, la enfermedad es el
resultado del estancamiento y bloqueo de cualquiera de
estas dos cosas: la energía o la sangre. En nuestro
entorno doméstico y de trabajo, la energía también se
puede estancar, rompiendo la armonía e influyendo
negativamente en la salud. Dispón el mobiliario de
manera que fomente un movimiento natural a través de
la casa, prestando una especial atención a los rincones,
que suelen convertirse en puntos de estancamiento y
acumulación de polvo. Asimismo, un flujo correcto de
energía también debería incluir un buen flujo de aire y
ventilación cruzada para limpiar el ambiente de aire
viciado.

Abrázate
a la Tierra

Existen varias razones por las que la gravedad nos mantiene pegados a la tierra. Por un lado, cuanto más alejado estás de la superficie de la Tierra, menos conectado estás también de su campo electromagnético (CEM). La miríada de funciones orgánicas están reguladas por nuestro propio CEM, que «late» en consonancia con el del planeta. Cuando esta sincronización se interrumpe, puede aparecer la enfermedad. Cuando vuelas en un avión a 10.000 metros de altitud, estás sometido al bombardeo de una radiación cósmica similar a la de una exposición a los rayos X. Por lo tanto, si es posible, vive y trabaja a una altura no superior a cuatro plantas, y viaja en avión sólo cuando sea estrictamente necesario.

La Gente:
Bienestar en Acción

De la misma manera que intentamos crear un entorno sano, positivo y fluido en nuestro organismo y nuestra casa, formar una comunidad humana de similares características puede beneficiar nuestra vida. Estar rodeado de la familia, los amigos y colegas de profesión amables, optimistas y que contribuyen a nuestro bienestar puede añadir años a tu contador personal de longevidad, mientras que, por el contrario, un entorno social deprimido puede consumir los placeres de la vida y dejarte sin deseos de seguir adelante. Si te encuentras en la primera situación, ¡enhorabuena! Haz cuanto esté en tus manos para conservarlo y, si te rodea un entorno negativo, adopta las medidas necesarias para desarrollar una situación más vital.

La Humedad: Peligro

La humedad puede ser peligrosa para la salud. Las condiciones atmosféricas, tales como la lluvia y la humedad elevada, fomentan el crecimiento de moho, que puede resultar muy difícil de descubrir o incluso invisible. En casa, una construcción deficiente, como en caso de ventanas que cierran mal, un escaso drenaje en el terreno y habitaciones en sótanos pueden contribuir a la infestación por moho. La exposición al moho provoca enfermedades que van desde simples sinusitis y dolores de cabeza hasta problemas graves tales como trastornos intestinales y hepáticos. Por esta razón es importante reparar los desperfectos relacionados con el agua (humedades producidas por la lluvia, fugas de agua en las tuberías del agua, etc.), asegurar una buena exposición a la luz solar y fomentar una buena circulación del aire en toda la casa, y en especial en los sótanos. «Cuece» periódicamente tu casa cerrando todas las puertas y ventanas y poniendo en marcha la calefacción a más de 100 °C durante un fin de semana mientras estás ausente.

Ollas y Cacerolas:
Venenos en Potencia

Si usas una batería de cocina de cobre o aluminio, podrías estar envenenándote poco a poco. Los metales interactúan con el calor y los alimentos, filtrándose en tu dieta y acumulándose lentamente en el organismo, en ocasiones hasta alcanzar un grado de toxicidad. Los elevados niveles de aluminio, por ejemplo, se han asociado a la pérdida de memoria, indigestión, dolores de cabeza y trastornos cerebrales tales como el Alzheimer, mientras que los de cobre pueden desequilibrar el sistema inmunológico y estimular la proliferación de células cancerosas. Cuando limpias las ollas y cacerolas con productos abrasivos, incluso los utensilios de acero inoxidable pueden liberar pequeñas cantidades de metales tóxicos tales como el cromo y el níquel. Las sartenes antiadherentes contienen teflón, un plástico que en estos últimos años se ha relacionado con trastornos inmunológicos y posibles condiciones cancerosas. Si es posible, te sugiero que sustituyas tu batería de cocina actual por otra de revestimiento cerámico o de hierro fundido, vidrio o arcilla de terracota sin plomo.

Teléfonos Móviles:
Úsalos con Precaución

¿Prácticos? Apuesto a que sí. ¿Pueden salvar la vida en casos de emergencia? En ocasiones. Pero lo cierto es que los teléfonos móviles tienen su lado negativo. Algunas evidencias han sugerido recientemente que el uso constante de móviles puede ser perjudicial para la salud. Los niños menores de 8 años no deberían usarlos. Algunas investigaciones indican que los usuarios de teléfonos móviles son más propensos a desarrollar tumores benignos en el oído y el cerebro. Diversos estudios apuntan que el uso de este tipo de teléfonos puede provocar alteraciones en el ADN y las funciones cognitivas, y que los índices de cáncer aumentan en la proximidad de estaciones de antena. Un remedio potencial consiste en usar auriculares provistos de bolas magnéticas. Estas piezas baratas de ferrita se ajustan al cable cerca del auricular, reduciendo la radiación por radiofrecuencia en la cabeza del usuario.

Cuidado
con las Caídas

Caer desde el tejado de una casa de tres plantas y tener la suerte de contarlo es algo que he experimentado en mi propia carne. Pero la mayoría de las lesiones y de muertes como consecuencia de caídas no son el resultado de trágicos accidentes, sino de simples tropezones con objetos, resbalones en la ducha o caídas por las escaleras. Toma precauciones. Instala dispositivos tales como detectores de movimiento para iluminar un pasillo oscuro, utiliza alfombrillas antideslizantes en la ducha, instala barras de sujeción en la bañera y barandillas en las escaleras. Despeja las zonas de paso de objetos con los que se pueda tropezar, asegura bien las alfombras en el suelo con goma antideslizante y reordena el mobiliario para crear un espacio de tránsito fácil y libre de obstáculos en toda la casa.

El Control de Tóxicos
Empieza en Casa

Cada año, las organizaciones de control de intoxicaciones reciben más de dos millones de llamadas por envenenamiento humano, debido en su mayoría a fármacos (de consumo ilegal, recetas médicas y medicamentos de venta directa en las farmacias), alcohol, monóxido de carbono y productos de limpieza. Si deseas disfrutar de una vida larga y sana, evita los fármacos a menos que te los prescriba el médico, y pregunta siempre si existen alternativas naturales a la medicación farmacológica. Asegúrate de que los fármacos no interactúan con otros medicamentos, suplementos o productos botánicos que estés tomando. No tomes alcohol si te estás medicando ni bebas en exceso, con o sin medicación; no te entretengas nunca en el coche con el motor en marcha dentro del garaje; descarta los productos de limpieza químicos y sustitúyelos por agentes naturales, no tóxicos, tanto en casa como en el trabajo.

El Afeitado
Tiene sus Riesgos

Hoy en día quien más quien menos sabe que algunos productos contienen componentes tóxicos y que conviene tener cuidado si hay que utilizarlos. Por ejemplo, los fenoles, sustancias químicas carcinógenas presentes en el detergente para la lavadora y los productos limpiadores domésticos no representan una grave amenaza para la salud, pues, en realidad, poco o nada de ellos se adhiere a la ropa, y en cualquier caso, siempre se puede usar guantes para manipularlos. Pero cuando estas sustancias se encuentran en la pasta dentífrica y las cremas para el afeitado, la cosa cambia. Estos dos productos se utilizan en la boca o cerca de ella, de manera que el riesgo de tragarlos accidentalmente es mayor. La exposición al fenol por vía cutánea o a los gases que desprende es de por sí tóxica, pero la ingestión de fenoles, aunque sólo sea en pequeñas cantidades, puede provocar insuficiencia respiratoria e incluso la muerte. Lo mejor es comprar una buena pasta dentífrica en la tienda de productos dietéticos y naturales y una crema para el afeitado elaborada con aceite de almendra o de coco natural. Y aprovechando que estás ahí, ¿por qué no eliges un limpiador para la cocina y un jabón para la ropa sin fenoles?

El Pino:
Lo Bueno y lo Malo

Nada es tan agradable como aspirar la fragancia del pino, evocadora de maravillosos recuerdos de unas idílicas vacaciones en la montaña. Pero, cuando el aceite de pino natural está concentrado y se utiliza en la elaboración de tónicos para el cabello, aceites para el baño, desinfectantes, desodorantes y otros productos aromáticos, conviene proceder con una sana dosis de cautela. El aceite de pino irrita las membranas mucosas en las fosas nasales y daña la piel. No toques nunca aceite de baño aromatizado con pino hasta que se haya disuelto por completo en la bañera, y sobre todo, ten cuidado de no ingerir inadvertidamente ningún producto que lo contenga. Puede provocar náuseas, mareo, dolor torácico, diarrea y jaquecas, y en casos extremos, incluso insuficiencia respiratoria o renal.

Fuera Bichos
con Hierba Limón

Los repelentes de insectos comercializados te ahorrarán las molestas picaduras de mosquito, pero muchos de ellos contienen sustancias químicas peligrosas. Algunos estudios indican que algunos ingredientes se pueden combinar en el organismo con otros compuestos, incluyendo los fármacos de prescripción, causando la muerte de las células cerebrales y otras reacciones neurotóxicas, como por ejemplo epilepsia. Una sustancia natural, el aceite esencial de hierba limón, es una elección más recomendable para mantener los «bichos» a raya. Compra en la tienda de productos dietéticos y naturales productos que usen el aceite esencial de hierba limón para protegerte de los insectos.

Joyas...,
¿Morirías por Ellas?

Una de las sustancias más comunes en los productos de limpieza para piezas de joyería es el cianuro. Sí, lo has oído bien, ese potente tóxico que afecta al organismo a través de la emanación gaseosa o el contacto con la piel. Estas pequeñas exposiciones tóxicas se van acumulando, comprometiendo la salud a largo plazo, debilitándonos y precipitándonos hacia un irremediable envejecimiento prematuro. Afortunadamente se puede encontrar sustitutos no tóxicos sin salir de casa. Para limpiar el oro usa pasta dentífrica o bicarbonato sódico y un paño suave. Para la plata, reviste un cuenco de cristal con papel de aluminio y llena tres vasos de agua caliente. Añade dos cucharadas de crémor tártaro (lo encontrarás en la sección de especias o bollería del supermercado) y espera a que se disuelva. Sumerge las piezas de plata en la solución y déjalas en remojo una hora. Luego, enjuágalas con agua corriente.

¿Es Plana?
Tanto Mejor

El lugar de trabajo puede ser una fuente de peligros ocultos, aun en el caso de que se trate de un despacho en casa. Si usas un ordenador estás expuesto a la radiación electromagnética que emana del tubo de rayos catódicos (TRC) del monitor. El TRC funciona a un voltaje extremadamente alto, y por consiguiente, a niveles de radiación muy elevados, que en las pantallas de mayor tamaño puede llegar a 35.000 voltios o más. La tecnología de los monitores planos es completamente diferente. No sólo operan a voltajes muy inferiores, que habitualmente se cuentan por centenares, no por miles, sino que tampoco producen radiación electromagnética. Y por cierto, una ventaja añadida: tu factura de la luz menguará, pues el funcionamiento de una pantalla plana de ordenador consume muchísima menos electricidad.

Abrelatas:
Tíralo a la Basura

Comer alimentos frescos es una recomendación básica en casi todas las tradiciones médicas. Sin embargo, en el mundo industrializado actual es más importante que nunca, no sólo por los efectos benéficos derivados del consumo de productos de cultivo local, sino también por los riesgos que presenta su alternativa. El bifenol A, una sustancia usada en el revestimiento de latas de conserva, está clasificado como disruptor endocrino, un compuesto que puede actuar como una hormona cuando penetra en el organismo humano. Los científicos han descubierto que la exposición a esta sustancia contribuye al desarrollo de cáncer de próstata, ovarios quísticos, cáncer de mama y endometriosis. Para vivir el mayor tiempo posible sobre la faz de la Tierra, evita los alimentos en conserva.

CAPÍTULO 4: Qué Haces
Ejercicio, Estilo de Vida y Rejuvenecimiento

El secreto de la longevidad reside en la acción, en la realización de actividades que proporcionan flexibilidad al cuerpo, despejan la mente y satisfacen el espíritu. Los estilos de vida de las personas centenarias son simples. Llevan una vida activa con mucho descanso. Las que he conocido han sido ávidos estudiosos y viajeros impenitentes. Todos ellas parecen observar instintivamente los ritmos naturales dentro y fuera de su cuerpo. Y a consecuencia de estos buenos hábitos, evitan violar el orden natural del universo.

Para la mayoría de la gente, los buenos hábitos deben cultivarse. Cepillarse los dientes, por ejemplo, es un hábito básico aprendido desde la más tierna infancia por consejo paterno. Si este tipo de cosas se dejaran a la decisión de los niños, acabaríamos pareciéndonos a nuestros antepasados de hace algunos siglos, mellados a los cuarenta y condenados a una temprana sepultura. Aprender a incorporar buenos hábitos a la rutina diaria es esencial para la salud y longevidad.

Las personas centenarias chinas suelen practicar tai chi y qigong, ejercicios de meditación asociados tradicionalmente a la larga vida. Asimismo se benefician de técnicas de rejuvenecimiento que los chinos conocen desde hace miles de años, como la acupuntura, digitopuntura y sanación por la energía, que fomentan la salud y el equilibrio tanto del cuerpo como de la mente.

Este capítulo aborda desde el mejor momento del día para hacer ejercicio y los rituales para gozar de un descanso nocturno reparador, hasta ejercicios de potenciación cognitiva y prácticas de respiración para eliminar toxinas. Estas técnicas, una vez incorporadas a un estilo de vida sano, parecen disminuir la probabilidad de generación de genes perjudiciales. Personalmente he visto que dan excelentes resultados en incontables pacientes y muchas personas centenarias con historias genéticas imperfectas.

Tus elecciones acerca de lo que debes hacer puede influir positivamente en tu bienestar. Empieza ahora y sus efectos se prolongarán durante el resto de tu vida.

Los Largos Paseos
Presagian una Larga Vida

Todas las personas centenarias que he conocido a lo largo de los últimos veinte años caminaban por lo menos treinta minutos como actividad diaria, y en su mayoría, más de una hora. Y no es de extrañar que alcancen edades tan respetables, ya que algunos estudios han demostrado que caminar reduce sustancialmente el riesgo de infarto y de enfermedades cardiovasculares, aumentando asimismo los niveles de colesterol «bueno».

Momento para el Ejercicio: ¡Cualquiera!

Sabido es que el ejercicio puede prolongar la vida, pero muchas personas no lo hacen simplemente porque «no tienen tiempo». En nuestras ajetreadas rutinas puede ser difícil encontrar una o dos horas diarias para ir al gimnasio o asistir a una clase de tonificación. Por mi parte, siempre les digo a mis pacientes que las oportunidades para la práctica de ejercicio a lo largo del día son innumerables. ¿Mi consejo? Usar las escaleras en lugar del ascensor; aparcar el coche a unas cuantas calles del lugar de destino; segar el césped con un cortacésped mecánico; limpiar el suelo con una escoba en lugar de un aspirador; fregar los platos a mano en lugar de utilizar el lavavajillas; caminar hasta el quiosco para comprar el periódico en lugar de suscribirse a la redacción y recibirlo en casa. Cada pedacito de actividad física es importante.

Haz Ejercicio
a tu Ritmo

Demasiado a menudo encuentro pacientes que han sufrido lesiones al realizar un nuevo programa de ejercicio. Como comprenderás, ¡eso no contribuirá en absoluto a tu longevidad! Cuando empieces un nuevo programa de ejercicio físico es importante que trabajes a tu ritmo. Tanto si se trata de una clase de tonificación como si practicas con pesas tú solo, no te extralimites, no vayas más allá de tu «zona de confort». Cuando empieces a sentir tensión o dolor, falta de aliento, mareo o fatiga repentina, por lo que más quieras, ¡para! Conoce tus límites. Si no estás acostumbrado a realizar un ejercicio regular, empieza con 10 minutos diarios durante una semana, 15 la segunda, 20 la tercera y así sucesivamente, prolongando la sesión 5 minutos cada semana hasta que te sientas cómodo con un ejercicio de 45-60 minutos diarios.

El Fitness
Puede Ser Divertido

Mucha gente empieza un programa de ejercicio físico y luego pierde interés, reanudándolo cuando les apetece hacerlo de nuevo. Pero el secreto de los beneficios derivados del fitness es la constancia. Es esencial encontrar una actividad que te guste. Parece de sentido común, pero he conocido a muchas personas que gastan tiempo y dinero en un gimnasio cuando en realidad les desagrada ir allí. Busca, busca y sigue buscando hasta dar con el tipo de actividad física que te plazca, ya sea baile, patinaje en línea, saltar en una cama elástica, jugar al golf o montar en bicicleta. Cuando te guste lo que haces día tras día, te divertirás haciendo ejercicio.

Pesas y Caminar
para Fortalecer los Huesos

A medida que vamos envejeciendo, los huesos se vuelven frágiles y se descalcifican. Esta condición, llamada osteoporosis, afecta a la mayor parte de la población mundial de más de setenta años. Y por muchos suplementos de calcio y vitamina D que se administren, sin actividades que ejerzan peso en los huesos todo esfuerzo resultará inútil. Es algo que aprendimos cuando los astronautas experimentaron la ingravidez en el espacio. Sin gravedad que ejerciera presión en los huesos, la pérdida de masa ósea era mucho más acelerada de lo que hubiera sido en la Tierra. Esto no significa que tengas que convertirte en un levantador de pesas. Un ejercicio moderado que ejerza peso en los huesos, como caminar, es más que suficiente para que éstos recuperen el calcio.

Aeróbic:
El «Corazón» de las Cosas

Quien dijo que el envejecimiento no es para los pusilánimes tenía razón. El corazón es el músculo que bombea los nutrientes de la sangre y el oxígeno a todo el organismo, al tiempo que transporta los productos residuales para su eliminación. Un corazón más fuerte se traduce en una mayor tolerancia al estrés y la tensión. La mejor manera de fortalecer este músculo es aumentar el ritmo cardíaco hasta un 60-80% del pulso cardíaco máximo (PCM) al hacer ejercicio. Tu PCM lo puedes calcular restando tu edad de 220. Por ejemplo, si tienes 50 años, tu PCM es de 170 pulsaciones por minuto, y el nivel óptimo del 60-80% se situaría entre 102 y 136 pulsaciones por minuto. Alcanzar este pulso durante 30 minutos al día, tres veces por semana, mantendrá en forma tu corazón.

La Fábrica de la «Hormona de la Juventud»: Tu Cuerpo

Imagina lo que supondría una ráfaga de hormonas de rejuvenecimiento en tu organismo sin inyectables caros ni píldoras. Algunos estudios demuestran que basta hacer flexiones y elevaciones de piernas para estimular la producción natural de la «hormona de la juventud» y multiplicarla por cuatro o cinco. Una mayor producción de hormona del crecimiento significa una mayor masa muscular y fuerza, menos depósitos grasos, una mente más despejada, relaciones sexuales más satisfactorias y estados de ánimo positivos. Trabaja con pesas, flexiones de rodilla, flexiones abdominales y remo.

Pedalea:
El Ciclo de la Vida

Además de ser una excelente forma de ejercicio, pedalear en bicicleta aumenta la circulación de la sangre en la mitad inferior del cuerpo, especialmente las piernas y los pies, y contribuye a bajar la tensión arterial. Montar en bicicleta una hora, tres veces por semana, durante un período de diez semanas bajó la tensión arterial en una media de 13 puntos en un grupo de estudio de individuos de mediana edad. Mantener nivelada la presión sanguínea (por debajo de 130 sistólica y 90 diastólica) es la clave de la prevención de infartos, enfermedades coronarias y patologías renales.

Combate la Diabetes
con Ejercicio Regular

No pierdas nunca la esperanza en tu búsqueda de la longevidad, ni siquiera en caso de una condición tan grave como la diabetes. En ocasiones, las cosas más simples pueden mejorar sustancialmente la salud. Un ejercicio aeróbico diario puede reducir los niveles de azúcar en el torrente sanguíneo, haciendo que los músculos consuman el exceso de glucosa (azúcar en la sangre), el factor clave en la diabetes. Un ejercicio físico regular ayuda a los pacientes con diabetes de tipo I a utilizar la insulina de un modo más eficaz, y en otros estimula el páncreas para que produzca más insulina, previniendo virtualmente la diabetes de tipo II.

La Digestión
de un Helado de Vainilla

Las 300 calorías que ingieres cuando tomas un helado de
vainilla se pueden eliminar con una hora continuada de
actividades que forman parte de la vida diaria: segar el
césped con un cortacésped mecánico, jardinería, barrer o
bailar. Así pues, la próxima vez que decidas tomar un
helado o darte el gusto de saborear un par de galletas
de chocolate, ten preparadas unas cuantas tareas
domésticas o aprovecha tus dotes innatas de bailarín
para disfrutar de un rato agradable en un salón de baile.
Personalmente prefiero evitar los postres.

Ejercicio
en el Agua

Demasiada gente sufre trastornos graves de desgaste de caderas y articulaciones de las rodillas antes de la senilidad. Esto va en contra de tus planes de longevidad, ya que el ejercicio es crucial para la salud. Pero muchas personas que sufren dolores articulares aún pueden aprovechar los beneficios de una actividad física gracias a los ejercicios en el agua. Además de nadar, los ejercicios en el agua, tales como el aeróbic acuático y el «aqua-jogging» con dispositivos de flotación, han alcanzado una extraordinaria popularidad en los últimos años. El agua es un cojín ideal para amortiguar los impactos en las articulaciones y proporciona resistencia para realizar un buen trabajo cardiovascular. Algunas investigaciones indican que el ejercicio en el agua, aunque no contiene elementos de peso, puede aliviar la osteoporosis. Muchos gimnasios y clubes de entrenamiento físico imparten hoy en día clases de ejercicios acuáticos.

Fresco
en Verano

Durante la estación cálida, «mantén la cabeza fría». Elige actividades físicas que no calienten excesivamente el cuerpo. En verano, la rutina de ejercicio debería consistir en nadar, patinar sobre hielo, trabajar en gimnasios con aire acondicionado y practicar yoga y tai chi. Numerosos estudios sugieren que el riesgo de infarto es tres veces más elevado en los días más calurosos que en los más fríos. Bebe agua en abundancia y haz ejercicio en un entorno fresco.

El Sol:
Amigo y Enemigo

Muchas personas centenarias comprenden el poder del sol. Se levantan al amanecer y se acuestan al anochecer. La luz solar, como es bien sabido, puede ser beneficiosa o perjudicial para la salud dependiendo del grado de exposición. Los rayos ultravioleta del sol son un esterilizante natural, mata bacterias y hongos en la piel y fomenta la producción de vitamina D, una sustancia esencial para los huesos. También estimula el sistema inmunológico, elevando los niveles de actividad de las «células asesinas» naturales, defensoras del organismo. Sin embargo, una exposición excesiva puede provocar daños en la piel y otras condiciones más graves, tales como cáncer de piel, insolación, deshidratación y supresión de la función inmunológica. Para maximizar los beneficios del sol, limita la exposición directa a 30 minutos diarios o menos, y siempre dentro de las dos horas siguientes al amanecer y anteriores al ocaso.

La Jardinería
y la Esperanza de Vida

Las personas centenarias en todo el mundo proceden de trasfondos culturales y profesiones muy diversos, pero una de las aficiones más comunes entre ellas es la jardinería. Como ejercicio, la jardinería fortalece los músculos; como disciplina, requiere paciencia y cultiva la voluntad; y finalmente ofrece innegables recompensas y alegrías a quienes la practican. Muchos estudios indican que, entre los jardineros, la incidencia de enfermedades coronarias y de osteoporosis es menor.

La Pereza
también Es Mala Consejera para la Salud

Mantenerse activo y hacer un ejercicio físico regular son los fundamentos de una vida más larga y más sana. No es, pues, de extrañar que los animales enjaulados tengan más trastornos de salud y una esperanza de vida más corta que los que viven en libertad. Investigaciones realizadas con humanos confirman que, por regla general, a mayor actividad, mayor longevidad. Según un estudio, el grupo de individuos que quemaba más de 3.500 calorías por semana, vivía más. ¡La pereza acorta la vida!

100 Millones de Practicantes de Tai Chi no Pueden Estar Equivocados

Cualquiera que haya visto imágenes de China con masas de personas moviéndose lentamente al mismo tiempo, en una rutina coreografiada y similar a una danza, estará familiarizado con el bello y saludable arte del tai chi. El hecho de que más de 100 millones de personas practiquen tai chi en todo el mundo demuestra bien a las claras sus reconocidas cualidades beneficiosas. Innumerables estudios han concluido que practicar tai chi 30 minutos al día, tres veces por semana, durante un mínimo de tres meses, puede reducir la pérdida de masa ósea en la osteoporosis, bajar la tensión arterial, aliviar la ansiedad, mejorar el sueño, aumentar la movilidad funcional y el equilibrio, estimular la circulación de la sangre y mejorar los niveles de colesterol. Y lo más curioso es que el tai chi es un ejercicio ligero que se puede realizar a cualquier edad. La inmensa mayoría de chinos centenarios son practicantes. Muchos centros recreativos y gimnasios imparten clases de tai chi. Asimismo, es una práctica habitual en los parques públicos de todo el mundo.

Respirar
Elimina Toxinas

La respiración, nuestra primera actividad independiente al nacer, se considera una función automática. Sin embargo, a causa de los hábitos desarrollados como respuesta a la enfermedad, el trauma emocional y otras experiencias, muchas personas no respiran correctamente. Se ha estimado que a través de la defecación y la orina sólo eliminamos alrededor del 30% de las toxinas en el organismo; las restantes se expulsan a través del aparato respiratorio. Dicho de otro modo, si no respiras como es debido, acumulas toxinas y productos residuales en el cuerpo. Practica a diario una respiración diafragmática, profunda, lenta y rítmica, y te verás recompensado con más energía, una mejoría en la complexión de la piel, una mente más despejada y estados de ánimo más positivos. Las disciplinas mente-cuerpo tales como el tai chi, el yoga, el qigong y la meditación incorporan la respiración en sus rutinas.

El Masaje
no Es un Lujo

La mayoría de la gente aprecia el masaje por sus efectos curativos y de relajación. Aun así, muchos creen que es un lujo. Lo cierto es que sus beneficios para la salud bien merecen hasta el último céntimo: fortalecimiento del sistema inmunológico, mayor respuesta a la relajación, mejoría en la circulación de la sangre y la linfa, alivio de los dolores y espasmos musculares, entre otros. Personalmente, lo considero esencial para disfrutar de una buena salud y forma física. Ni que decir tiene que siempre puedes aprender a dar masajes e intercambiarlos con tu pareja. Experimenta con las múltiples variaciones y estilos: masaje sueco, digitopuntura, tuina, tai y shiatsu. Combinado con la reflexología, basta frotar los pies para producir una inmediata sensación de bienestar.

El «Botón» de la Digitopuntura
Conecta el Sistema Inmunológico

La digitopuntura, una práctica que se ha transmitido de generación en generación durante miles de años, se menciona por primera vez en *El Clásico de Medicina del Emperador Amarillo*, el libro médico más antiguo del mundo. Esta técnica consiste en el calentamiento de un punto de presión en la pierna con una hierba, artemisa (*Artemisia vulgaris*), que estimula el sistema inmunológico. El practicante enrolla varias hojas de esta hierba en forma de cigarro, les prende fuego y sostiene la punta ardiendo cerca del punto de presión. No obstante, se puede conseguir el mismo resultado aplicando una presión firme y regular con los dedos. El punto está situado en las dos piernas, a alrededor de cuatro dedos de anchura por debajo de la indentación exterior de la rodilla, cerca de la espinilla. Investigaciones recientes realizadas en China confirman la eficacia de este tratamiento para mejorar la función inmunológica y prevenir los resfriados, la gripe y las infecciones. Un sistema inmunológico sano te protegerá del cáncer, infecciones y enfermedades degenerativas.

Música para los Oídos:
Más Años de Vida

La música, una parte tradicional de las ceremonias y rituales de sanación en todo el mundo, tiene una rica historia de usos terapéuticos. En los últimos años, las investigaciones han sugerido que una música lenta y relajante suele ser beneficiosa para la salud, a diferencia de los ritmos más acelerados. La música clásica no sólo potencia las habilidades de razonamiento, sino que también fortalece el sistema inmunológico, baja la tensión arterial, relaja la tensión muscular, regula las hormonas del estrés, mejora el estado de ánimo y aumenta la resistencia. Los intérpretes de música clásica, especialmente los directores de orquesta, figuran entre los profesionales más longevos. Algunos estudios han demostrado que las plantas expuestas a una relajante música clásica viven más, por término medio, que las que están expuestas a música rítmica y ruidosa. Si buscas la longevidad, da el do de pecho.

Duerme Bien
y Vivirás Más

¡Mmm...! Una larga noche de sueño reparador... Nada
más placentero o saludable. El sueño no sólo restaura la
mente y la vitalidad, sino que también es esencial para un
perfecto funcionamiento de órganos tales como el
hígado, que realiza la mayor parte de la tarea de
desintoxicación del organismo por la noche mientras
duermes. La privación de sueño causa innumerables
problemas, desde la supresión de la función
inmunológica, trastornos del estado de ánimo y
enfermedades digestivas, hasta el aumento de los niveles
de colesterol y la tensión arterial. Algunos estudios
indican que quienes permanecen despiertos durante
setenta y dos horas seguidas experimentan una caída
espectacular en la producción y actividad de los
leucocitos, la medida de nuestra función inmunológica.

Prescripción para la Longevidad:
Ocho Horas de Sueño

Las investigaciones han demostrado que la privación de sueño puede propiciar la aparición de la pérdida de memoria, fomentar la diabetes y subir la tensión arterial. La medicina oriental sabe desde hace miles de años que un descanso nocturno adecuado ayuda a restaurar el *yin* (sustancia), que mantiene en perfecto estado el *yang* (función). Las condiciones que caracterizan el agotamiento del *yin* y el exceso de *yang* son exactamente los síntomas observados en los estudios occidentales. El período de sueño ideal recomendado por los textos médicos de la antigua China es de ocho horas. Por término medio, los adultos duermen ocho horas y quince minutos cuando no se les despierta. Procura dormir un mínimo de ocho horas de sueño profundo e ininterrumpido para tener buena salud y disfrutar de una larga vida.

Rituales de Sueño
para Dormir Bien

El cuerpo funciona a tenor de unos ritmos biológicos, y mucho mejor cuando intervienen rutinas regulares. Para asegurar un sueño reparador cada noche, crea tus propias rutinas y rituales que te ayuden a conciliar el sueño y permanecer dormido durante las horas necesarias. Veamos algunas sugerencias útiles extraídas de mis entrevistas con personas centenarias: baños calientes, masaje en los pies, leer el periódico, meditación, aromaterapia, música relajante, lectura de libros espirituales, oración y dar un paseo al anochecer. Éstos y otros rituales serenarán tu mente y gozarás de paz interior. Cuando encuentres uno que dé resultado, practícalo con regularidad para programar la respuesta al sueño de tu cuerpo.

El Trabajo Diario
es Fundamental

Aun en el caso de los habitantes de las grandes ciudades, la naturaleza ejerce una extraordinaria influencia en la salud y bienestar de formas sutiles, aunque poderosas. En la medicina oriental se sabe desde tiempos inmemoriales que el respeto de los cambios cíclicos de la naturaleza redunda en la salud, y la violación de sus ritmos, en la enfermedad. Los cambios bioquímicos se producen cuando se transgreden las pautas naturales de comportamiento asociadas a la división de noche y día. Los trabajadores del turno de noche y quienes están sometidos a horarios de trabajo impredecibles tienen un 30% más de riesgo de sufrir un infarto que quienes lo hacen de día siguiendo un horario estricto. Experimentos realizados en el laboratorio han demostrado que la esperanza de vida de los ratones obligados a llevar una vida activa nocturna es un 11% inferior a lo normal.

Gimnasia
para el Cerebro

La memoria reducida, la pérdida de concentración y una
respuesta más lenta asociadas al envejecimiento se deben
en gran medida a un descenso en el riego sanguíneo
al cerebro y a la pérdida de células cerebrales. Además
de una nutrición y ejercicio adecuados, las actividades de
tonificación mental son imperativas para prevenir el declive
cognitivo relacionado con la edad. Lee y aprende cosas
nuevas, busca nuevas aficiones, resuelve crucigramas
y lleva la cuenta mental del precio de la compra en el
supermercado, actividades, todas ellas, que estimulan el
funcionamiento de las neuronas y, en ciertos casos, incluso
contribuyen a la creación de nuevos canales cerebrales.

Cepillar
y Vivir Más

Una práctica popular entre las personas centenarias
consiste en frotarse el cuerpo con un cepillo seco de
cerda natural. Además de eliminar las escamosidades de
la piel y mejorar la higiene personal, cepillarse el cuerpo
también puede incrementar la circulación capilar en la
piel, estimular la inmunidad cutánea a posibles
infecciones y tonificar la piel. Como alternativa, usa un
paño seco o húmedo y frota vigorosamente tu cuerpo
de la cabeza a los dedos de los pies.

Longevidad
del Cabello

Para mucha gente, perder el cabello es más frustrante que envejecer. Evidentemente, los factores hereditarios ejercen un papel importante en la pérdida prematura del cabello, pero para otras muchas personas el proceso se puede invertir con métodos naturales. Empieza eliminando los productos de higiene del cabello que contengan sustancias químicas agresivas que puedan dañar las raíces y eliminar nutrientes vitales de los folículos. Usa sólo productos con ingredientes naturales. Haz un masaje con los dedos en el cuero cabelludo o un cepillo de cerda dura describiendo círculos. Aplica arborvita, una hierba china que estimula los folículos, mejora el riego sanguíneo y elimina los aceites acumulados en las raíces. Personalmente he utilizado esta hierba con mis pacientes durante los últimos veinte años con un éxito más que considerable. Ni que decir tiene que el estrés es una causa común de la pérdida de cabello. Procura relajarte.

Dóblalo,
no lo Rompas

El bambú es muy apreciado en Asia no sólo por la
utilidad de sus brotes como alimento, su tallo interior
como medicina y su tallo exterior como material de
construcción, sino también por su significado cultural
como símbolo de la flexibilidad. Esta planta tan flexible es
capaz de sobrevivir en las condiciones meteorológicas
más adversas. Asimismo, nuestra vida está llena de
sucesos inesperados, y quienes saben adaptarse a los
cambios disfrutan de más salud y de una existencia más
plena. Estudios realizados en China demuestran que los
pacientes dotados de una personalidad flexible a menudo
tardan la mitad en recuperarse de las enfermedades que
los que se obstinan en aferrarse a su estilo de vida.
Procura no apegarte demasiado a un objetivo específico.
Mantén el rumbo que te has trazado en la vida, pero
comprende que, cuando se presentan obstáculos, deberás
desviarte de tu camino antes de volver a él. Practica
estiramientos, yoga o tai chi; la flexibilidad física fomenta
ese mismo rasgo en tu personalidad.

Precalienta y Enfría
al Hacer Ejercicio

Muchos de mis pacientes se lesionan practicando incluso las más livianas disciplinas físicas, como el yoga o Pilates, porque no dedican el tiempo suficiente al precalentamiento antes de empezar y al enfriamiento al terminar. Basta sentarse o tumbarse un par de minutos para que los músculos se enfríen y anquilosen. Te recomiendo realizar una secuencia de estiramientos ligeros a modo de precalentamiento, llevar prendas calientes o aplicar compresas calientes antes de empezar la sesión de ejercicio. Muchos gimnasios y clubes de entrenamiento disponen de saunas, una forma excelente de precalentarse antes de la sesión. Al terminar, enfría los músculos con una ducha o aplicando compresas frías en las áreas musculares o articulares doloridas.

Vence las Adicciones
Holísticamente

La adicción al tabaco, el alcohol y las drogas causan daños incalculables al organismo y es la responsable de incontables muertes. El cáncer de pulmón, la cirrosis hepática y otras patologías inducidas por las drogas se pueden prevenir y curar con un tratamiento precoz, antes de que hayan alcanzado una etapa avanzada. Sin embargo, cuanto antes venzas la adicción, antes será capaz también tu organismo de empezar a reparar los daños. Dile a tu médico o especialista que te recomiende un programa holístico que incorpore disciplinas complementarias y tratamientos médicos alternativos con un enfoque de desintoxicación integrado mente-espíritu.

Investigadores chinos, por ejemplo, han descubierto que la flor del kudzu reduce la ansiedad y el síndrome de abstinencia. En realidad, nunca es demasiado tarde, e incluso con un historial de abuso prolongado de una sustancia, cuando se deja de consumir, la salud y el bienestar mejoran considerablemente.

Un Dulce Despertar

Los infartos y hemorragias cerebrales se suelen producir entre las seis de la mañana y el mediodía. Esto se debe a que, cuando te despiertas, te levantas y te enfrascas en las actividades diarias, el organismo experimenta una subida repentina y espectacular de la tensión arterial, temperatura y pulso cardíaco comparado con el estado de sueño, sometiendo las débiles paredes arteriales a un fuerte estrés. Evita literalmente levantarte de la cama de un brinco. Es preferible despertarse gradualmente con música suave, hacer ejercicios de estiramiento y un automasaje antes de precipitarte a la ducha o montar en el coche.

Los taoístas chinos utilizan un ritual matutino que facilita la transición entre el sueño y la vigilia de un modo suave y estimulante. Cuando te despiertes, hazte un masaje en los ojos, oídos, nariz y labios; pasa las puntas de los dedos por el cuero cabelludo con repetidos golpecitos; aplica un masaje al resto del cuerpo, frotando desde el cuello hasta los pies, pasando por los hombros, codos, manos, pecho, abdomen, caderas y rodillas; y por último, haz lo mismo en la región lumbar con las palmas de las manos. Inspira por la nariz y espira por la boca tres veces para expulsar toxinas, y luego, realiza tres inhalaciones profundas de aire fresco para llenar de oxígeno las células.

El Truco
de la Tortuga

Sabido es que, en la naturaleza, los animales con un
metabolismo acelerado mueren antes, y que los que
queman energía más lentamente viven mucho más.
Pongamos por ejemplo el colibrí. Su acelerado metabolismo
consume literalmente el organismo en dos veranos,
mientras que el gran galápago que es la tortuga puede vivir
cien años. Quemar combustible para mantener un
metabolismo más acelerado genera radicales libres, que
a su vez dañan el ADN celular y provocan una cadena
degerativa. Pausa tu vida diaria, intercalando actividad
y descanso, evita consumir estimulantes y alivia el estrés.
Sigue una dieta apropiada a tenor de tus circunstancias:
vegetariana para quienes tienen hábitos sedentarios y rica
en proteínas si tu estilo de vida es muy ajetreado.
No «vivas deprisa y mueras joven». Haz como la tortuga
y llega a la meta.

La Carótida:
Ultrasonidos y Prevención de la Hemorragia Cerebral

El infarto o hemorragia cerebral es la tercera causa de muerte en Estados Unidos, y se gastan más de 70 millones de dólares al año en cuidar pacientes de infarto. Un hemograma no puede por sí solo evaluar con precisión el riesgo de infarto, una condición médica catastrófica en la que las arterias cerebrales estallan. Un simple, barato y no invasivo escáner por ultrasonidos de las arterias carótidas, situadas a ambos lados del cuello, pueden predecir mejor los infartos y prevenirlos. Si tienes más de 40 años, pregunta a tu médico si sería conveniente hacerte un test. Puede salvar tu vida.

Más Razones:
Ronquidos

Además de resultar molestos para tu pareja, los ronquidos pueden poner en grave riesgo tu vida. Al roncar se somete a estrés el sistema cardiovascular al interrumpirse el flujo de oxígeno a la sangre. La tensión arterial aumenta y se acumula colesterol «malo». Un estudio demostró que las personas que roncan tienen el doble de probabilidades de desarrollar una patología coronaria que las demás. Para dejar de respirar por la boca durante la noche, procura dormir de costado, adelgaza, y si tienes algún problema de bloqueo de los senos paranasales, busca tratamiento médico. Si todo esto falla, visita a un otorrinolaringólogo. En algunos casos, un exceso de tejidos puede bloquear las vías respiratorias, en cuyo caso puede ser aconsejable la cirugía.

La Siesta:
No al Infarto

Una de las mejores maneras de aliviar el estrés en el corazón consiste en hacer una siesta a mediodía.

La medicina china ha observado que, en los ritmos circadianos del organismo, mediodía es el momento de mayor riesgo para el corazón. De ahí que los médicos chinos recomienden actividades relajantes y descansar en este período del día para mantener la salud del sistema cardiovascular. Según algunas investigaciones, las personas que hacen una siesta diaria de como mínimo treinta minutos tienen un 30% menos de probabilidades de desarrollar patologías coronarias. La siesta es un signo de sabiduría, no de pereza.

Pierde Peso:
Tu Corazón
te lo Agradecerá

En la actualidad, el 61% de los norteamericanos son obesos
o tienen sobrepeso. En este caso, cualquier objetivo de
longevidad es en vano. La obesidad sube la tensión arterial y
fuerza el ritmo cardíaco. La mayoría de las personas con
sobrepeso también tienen elevados niveles de colesterol,
otro factor de riesgo para las enfermedades
cardiovasculares. Un estudio demostró que, cuando las
personas obesas perdían el 10% de su peso corporal,
el riesgo de trastorno coronario se reducía en un 20%.
Así pues, adelgaza un poco y aligera el corazón.

¿Has Incluido la Longevidad en tu Perfil de Trabajo?

Quienes ejercen determinadas profesiones u ocupan ciertos cargos suelen vivir más que la media. Según algunos estudios realizados por compañías de seguros, la tasa de mortalidad media de los directores de orquestas sinfónicas y ejecutivos de empresa es menor. A su vez, investigaciones realizadas en China han concluido que los médicos, artistas, profesores y recolectores de hierbas disfrutan de una esperanza de vida media más prolongada. Asimismo, algunos sectores son extremadamente propensos a las lesiones y el estrés, acortando la vida, como es el caso de la construcción, las compañías manufactureras, minería, transporte, agricultura, explotaciones forestales, pesca y venta al mayor y al detall. Independientemente de las estadísticas, es importante que la profesión que elijas te satisfaga y tenga un verdadero significado para ti.

Flores:
Abajo el Estrés

Las flores de colores influyen de un modo extraordinario en los estados de ánimo. Un ramillete de flores puede evocar el amor, elevar el estado de ánimo de un paciente e incluso combatir el estrés. Un estudio demostró que quienes se sentaban cerca de un ramo de flores de colores eran capaces de relajarse mejor mientras trabajaban durante cinco minutos al ordenador que aquellos que tenían a su lado plantas sólo de hoja. La próxima vez que quieras relajarte o mejorar tu estado de ánimo, rodéate de flores multicolores.

Desglosa
tus Tareas

El estrés no es exclusivo del lugar de trabajo. A medida que envejecemos, muchos de los quehaceres domésticos que antes realizábamos rutinariamente nos provocan fatiga, dolor articular y muscular. Algunas personas creen que se deberían seguir realizando del mismo modo que antes, asumiendo que el cuerpo necesita estar sometido a un estado de fuerza continuado. Sin embargo, la medicina china no recomienda extralimitarse. Cuando estés pasando la aspiradora, por ejemplo, desglosa la tarea en pequeñas partes que no sobrecarguen los músculos durante un período excesivo de tiempo. Pásala por la mitad o una cuarta parte de una habitación, y haz el resto transcurridos algunos minutos. Toma un té o lee un poco antes de reanudar el trabajo. Usa este método en cualquier tarea prolongada que fatigue el cuerpo. En efecto, tardarás más en terminar, pero también más en despedirte de este bello mundo.

Coche Seguro + Conductor Seguro = Un Viaje hacia una Larga Vida

Los accidentes de automóvil suponen casi la mitad de todas las muertes accidentales. El tamaño del coche es importante cuando se trata de seguridad. Según las estadísticas del sector asegurador, el grupo de vehículos con la menor incidencia de mortalidad entre los conductores es el de los automóviles de lujo, seguido por el de las grandes furgonetas y vehículos monovolumen, y así sucesivamente aumentando kilo a kilo de vehículo hasta llegar a los microutilitarios. Compra un coche provisto de airbag y cinturones de seguridad, aunque, por supuesto, igualmente importante es conducir con precaución, estar alerta y evitar los fuertes arranques emocionales durante el viaje. Y ni que decir tiene que nunca hay que conducir después de haber consumido alcohol o durante un tratamiento farmacológico, que pueden provocar mareo.

La Comida no Sacia
el «Hambre» Emocional

Muchas personas caen en la trampa de comer para satisfacer el «hambre» emocional como opuesta al hambre física. El aburrimiento, la tristeza, el dolor y los disgustos emocionales pueden desencadenar un apetito voraz, que sin duda alivia temporalmente induciendo la liberación de betaendorfinas en el cerebro, una reacción que crea «come-adictos» que usan la comida como una droga para obtener una satisfacción transitoria a su dolor físico o emocional. La comida, a diferencia de las drogas ilegales, puede parecer benigna, pero todos hemos observado los resultados del abuso de comer: obesidad, diabetes, trastornos digestivos y depresión, todo lo cual pone en peligro la longevidad. Afronta tus sentimientos de desdicha e infelicidad y el afán de comer y las adicciones se desvanecerán.

Prevenir el Alzheimer:
Trabajo Intelectual

Los trabajos que someten al intelecto a una constante
tensión pueden ser estresantes, pero obligan a ejercitar
positivamente el cerebro. Combinado con una gestión
eficaz del estrés, un trabajo exigente puede ser cuanto
necesitas para mantener el cerebro a pleno rendimiento a
medida que va entrando en edad. Un estudio indica que
las personas que ascienden progresivamente para ocupar
cargos de una mayor exigencia mental a lo largo de su
carrera son menos propensos a desarrollar Alzheimer,
una enfermedad incurable en la actualidad y de
consecuencias inevitablemente fatales.

Cambios de Residencia:
Planificación Anticipada

Si has vivido en tu hogar durante algún tiempo y luego has cambiado de residencia por propia decisión o por necesidad, es posible que te hayas visto sometido a un estrés inesperado. Veamos cómo se puede evitar una crisis de salud. Si es posible, toma la decisión con un mínimo de seis meses de antelación a la mudanza. Empaqueta tus pertenencias poco a poco, elimina cuanto sea innecesario y disfruta de los agradables recuerdos que te evoca lo que vas a conservar. Despídete de cada habitación y de cada rincón, y ten presente que todo lo bueno que has vivido aquí no reside en este lugar físico; te llevas recuerdos que jamás te abandonarán. Si tienes la oportunidad, visita a menudo tu nueva residencia durante este período, acostumbrándote a la iluminación, los olores y las sensaciones asociadas al nuevo espacio físico. Procura entablar amistad con uno o dos vecinos y, si no lo has hecho ya, inspecciona la casa por si hubiera humedades o necesitara una desinsectación, solucionando el problema con la debida antelación. Llegada la mudanza, establece nuevas rutinas matinales y vespertinas, y lo que es más importante, fomenta pensamientos positivos relacionados con el largo y feliz futuro que te aguarda.

El Matusalén Chino:
El Secreto de la Longevidad

Se cuenta que Peng Zu, el Matusalén chino que supuestamente vivió 800 años, inventó el *daoin*, un ligero ejercicio de estiramiento y meditación que algunos consideran el predecesor del yoga. Uno de los primeros movimientos del daoin consiste en frotar la planta de un pie con la rodilla opuesta hasta sentir calor en el pie que está recibiendo el masaje, y luego repetirlo cambiando pie y rodilla. Además de estimular la circulación de la sangre en las extremidades inferiores, frotar la planta de los pies activa un importante punto de acupuntura para la energía y vitalidad llamado «Primavera Efusiva». Investigaciones recientes han sugerido que la estimulación de este punto tiene una acción equilibradora en los sistemas hormonal y nervioso.

El Banco de Energía:
Cómo Protegerlo

En la medicina china, el abdomen está considerado el almacén de la esencia y la energía del cuerpo. Así pues, guarda con celo tu banco de energía de posibles ladrones, entre los que se incluyen la meteorología, los excesos sexuales, los abusos en el comer y el beber, el sueño insuficiente y el trabajo agotador. Se cree que mantener el abdomen caliente y protegido tiene importantes beneficios para la salud y la longevidad. Para reabastecer el banco de energía, aplica regularmente en el abdomen una botella de agua caliente, compresas abdominales empapadas en soluciones herbales para el rejuvenecimiento o bolsas que contengan estas hierbas.

La Postura
Irriga el Cerebro

Una mala postura succiona energía, influye en el estado de ánimo y contribuye al desarrollo de dolores de espalda y cuello crónicos. En realidad, los hombros caídos y la espalda encorvada te darán un aspecto más envejecido del que tienes, y asimismo te sentirás mayor. Por otra parte, los hombros caídos y el arqueamiento de la espalda reducen la entrada de oxígeno. En efecto, cuando se comprimen el diafragma y las costillas es imposible respirar profundamente, disminuyendo el riego sanguíneo al cerebro y las extremidades. El remedio chino para la mala postura consiste en tirar hacia dentro del mentón, imaginando que una cuerda está tirando de ti hacia arriba desde la coronilla.

El Ejercicio Es una Promesa que no Conviene Romper (ni tus Huesos)

Las fracturas de hueso son la razón principal de que los norteamericanos acaben en las residencias geriátricas y, dicho con toda su crudeza, incluso en el cementerio. Muchas veces los huesos rotos son consecuencia de una caída. Además de seguir los consejos de este libro para fortalecer los huesos mediante la nutrición y los suplementos, puedes prevenir las caídas y las fracturas ejercitando los músculos adecuados. A menudo, las personas de edad avanzada pierden el equilibrio a causa de la debilidad de los tobillos. Veamos lo que se puede hacer al respecto. Sentado en una silla, estira una pierna al frente, paralela al suelo. Flexiona el empeine hacia atrás todo cuanto puedas, hacia la espinilla, y mantén 15 segundos esta posición. Repítelo cinco veces. Ahora gira el pie, describiendo círculos en el sentido de las manecillas del reloj, lentamente y con una presión isométrica. Hazlo cinco veces. Repítelo en el sentido contrario, y luego cambia de pie. Realiza estos ejercicios tres o cuatro veces por semana y las probabilidades de perder el equilibrio y caer se reducirán.

Tararear:
Un Hábito Saludable

Muchas personas aquejadas de fatiga crónica sufren trastornos en los senos nasales que consisten en un desequilibrio del intercambio normal de gases a través de aquéllos. Actualmente, las evidencias sugieren que tararear canciones al son de la radio o canturrearlas en voz baja puede ayudar a prevenir o remediar estos problemas. Algunos estudios indican que tararear aumenta la expulsión de óxido nítrico, un indicador de una función sinusítica eficaz. Por otro lado, cantar en voz bajita es similar a la práctica tradicional de la salmodia, en la que las ondas acústicas evocan respuestas positivas del cuerpo y el espíritu. Así pues, para mejorar el tránsito de aire en las vías respiratorias y gozar de buena salud, acostúmbrate a canturrear siempre que tengas la oportunidad. Podrías hacerlo al ir y volver del trabajo, por ejemplo.

Hagas Cuanto Hagas,
Hazlo Cada Día

Disponer de un programa de renovación diario es parecido a afilar el hacha cada día para luego poder trabajar con mayor eficacia partiendo leños. Aunque los tratamientos de fin de semana en un balneario y el merecido descanso vacacional de cada año revigorizan y refrescan, sus beneficios son a menudo a corto plazo, a menos que establezcas un programa diario que potencie tu energía. Tómate el tiempo necesario cada día para realizar una actividad que te haga sentir a gusto y te proporcione más energía, ya sea caminar, practicar tai chi, comer un cuenco de fruta fresca o un buen plato de verdura, un baño o masaje en los pies, escuchar música clásica o sentarte y meditar. No tardarás en verte recompensado.

Un Enfoque Proactivo de la Salud:
Tu Médico y También Tú

Mucha gente deja su salud en manos del médico en lugar de asumirlo como una responsabilidad personal. Aunque los doctores suelen tener la formación suficiente para tratar enfermedades, tu bienestar no es algo de lo que se puedan ocupar. Procura que la visita anual de chequeo a tu médico sea proactiva. Comenta con él tus objetivos de salud y procura que lo incluya, en un informe escrito, en tu historial clínico. Pregúntale cuáles han sido los resultados del último chequeo y compáralos con los anteriores. Comenta con el médico todo lo relativo a la medicación, suplementos y hierbas que estás tomando, intentando, a ser posible, reducir o sustituir la ingesta de agentes químicos por remedios naturales. Infórmate de los últimos descubrimientos o investigaciones sobre avances en longevidad y envejecimiento sano, y coméntalo con el médico y, ante todo, entabla una relación cordial y respetuosa con él.

El «Mapa» Corporal:
Dentro de la Boca

En la medicina china, la lengua se considera como un «mapa» del cuerpo interior. Se pueden detectar precozmente problemas ocultos examinando la lengua en busca de enrojecimientos, fisuras o revestimientos en áreas específicas. La punta de la lengua corresponde al corazón; cruzando la lengua justo detrás hay una fina tira que está relacionada con los pulmones; la amplia sección central corresponde al bazo y el estómago; las finas tirillas a lo largo de cada lado reflejan el hígado y la vesícula biliar; y la parte posterior de la lengua está asociada a los riñones y la vejiga urinaria. Pide a tu médico que encargue ulteriores pruebas clínicas si has detectado algún problema en cualquiera de estas áreas.

Los Ojos: Otro «Mapa» del Organismo

Observando los ojos se puede aprender a detectar signos incipientes de alerta de enfermedad. En la medicina china, los párpados hinchados o enrojecidos, por ejemplo, indican trastornos digestivos; la irritación o enrojecimiento en los rabillos de los ojos pueden reflejar estrés en el corazón; cuando el blanco de los ojos está rojo o irritado, significa un problema en el aparato respiratorio y los pulmones; si el blanco está amarillento, indica ictericia, una señal de problemas en el hígado o la vesícula biliar y que requiere atención sanitaria inmediata; cualquier cambio en el iris puede presagiar trastornos hepáticos; y círculos oscuros debajo de los ojos pueden significar desequilibrios hormonales, alergias en los senos nasales o simplemente necesidad de dormir. Para ver en tu interior, examina tus ojos con regularidad.

La Lengua
Nunca Miente

El diagnóstico por la lengua cuenta con una larga historia en las tradiciones médicas en todo el mundo. Todas las medicinas antiguas recurrían al examen de la lengua para detectar cambios en las vísceras u órganos internos. La lengua tiene una capa de células inmunes que reaccionan rápidamente a los intrusos. Asimismo está repleta de células nerviosas y papilas gustativas conectadas directamente con el cerebro. Está alimentada por una compleja red de vasos sanguíneos que cambian su color dependiendo del nivel de oxígeno y el aporte de nutrientes. Una lengua sana está húmeda y presenta una tonalidad rosada. Si está roja, agrietada o cubierta de un revestimiento amarillento indica un desequilibrio interno o una enfermedad. Visita a tu doctor, preferiblemente un especialista en medicina oriental, si observas estos signos. Por ejemplo, unos puntitos rojos en la punta pueden indicar que estás sometido a un fuerte estrés y sufres una inflamación en la cabeza o en el tracto superior del aparato respiratorio, mientras que una gruesa capa en la parte posterior puede indicar la acumulación de toxinas y productos residuales.

Los Sonidos
de la Salud

Una práctica común en China para la salud y longevidad consiste en usar sonidos curativos para los diferentes órganos internos. Las investigaciones han sugerido que determinadas ondas acústicas inducen la relajación y que otros estimulan funciones orgánicas. Los «Seis Sonidos Curativos» son una simple técnica que potencia la salud de los sistemas orgánicos. Todo cuanto debes hacer es emitir el sonido correspondiente al exhalar durante una secuencia de seis respiraciones mientras visualizas el órgano que deseas estimular. Los sonidos son los siguientes: «shu» para el hígado, «ja» para el corazón, «hu» para el estómago, «zi» para los pulmones, «fu» para los riñones, y «shi» para la vesícula biliar.

Buenos Olores
para un Buen Estado
de Ánimo

Tal y como han demostrado las investigaciones, el olor
ejerce una poderosa influencia en el cuerpo y la mente.
La estimulación de los nervios olfativos en el interior de
la nariz activa el sistema límbico del cerebro, asociado a
la memoria y los estados de ánimo. El uso de plantas
de intensa fragancia para curar, conocido como
aromaterapia, es habitual en las tradiciones médicas de
todo el mundo. La aromaterapia utiliza el jazmín para
tratar la depresión, la lavanda para el sueño inquieto,
los cítricos para despejar la mente, la menta para la
indigestión, el romero para el dolor y la rigidez muscular,
el eucalipto para la sinusitis, y el pachuli para las
náuseas. Debes aplicar los aceites esenciales de estas
plantas en las sienes, con un algodón, en la nuca
o directamente en los puntos de digitopuntura o, si no
dispones de extractos, hacer vahos con las hierbas,
inhalando el vapor por la nariz.

Primavera:
Limpieza General

La primavera es la estación del despertar. Según la medicina china, el hígado y la vesícula biliar alcanzan el máximo grado de actividad en esta estación del año. Nuestro instinto de hacer limpieza general en casa en primavera se refleja en la acción natural del hígado, que limpia y desintoxica el organismo. Aprovecha este período para limpiar tu organismo. El *Clásico de la Medicina del Emperador Amarillo*, de 5.000 años de antigüedad, da este consejo: levántate temprano y acuéstate temprano, resguárdate del frío de la mañana y de la noche, haz estiramientos y ejercicio físico, y expresa abiertamente tus sentimientos. De este modo podrás prevenir las enfermedades de la primavera.

Verano:
Acostarse Más Tarde

Verano es la estación del año del calor y el crecimiento. El calor causa una expansión extrema y propicia la deshidratación, desestabilizando el sistema nervioso, reduciendo la producción de jugos gástricos y ralentizando el movimiento intestinal. Asimismo acentúa las probabilidades de intoxicación por ingestión de alimentos y la disentería. La medicina china dice que el corazón y el intestino delgado están a plena actividad durante los meses estivales. El consejo del Emperador Amarillo es el siguiente: levantarse temprano y acostarse más tarde, descansar a mediodía, evitar el sobrecalentamiento durante las actividades físicas, beber en abundancia y añadir sabores picantes a la dieta, refrenar el enojo y mantener la ecuanimidad para prevenir las enfermedades propias del verano.

Otoño:
Tiempo de Aromas Acres

El otoño marca el punto de inflexión entre el calor del verano y el frío del invierno. El tiempo más fresco es el preludio de la cosecha y anuncia el ciclo de la muerte en la naturaleza. El cambio estacional también causa la constricción del aparato respiratorio, provocando tos, asma, bronquitis e incluso neumonía. La medicina china siempre ha asociado el otoño a los pulmones y el intestino grueso. El Emperador Amarillo recomienda acostarse temprano y levantarse temprano, practicar ejercicios de respiración, evitar los sabores picantes, aumentando los acres en la dieta, beber mucho y tomar sopas, y estar tranquilo y relajado para prevenir las enfermedades típicas de esta estación.

Invierno:
No a los Alimentos Crudos

En invierno la naturaleza duerme, los días son cortos y las noches largas. Desde tiempos inmemoriales, el hombre dejó de hibernar como lo hacían sus primos ancestrales, pero el organismo sigue experimentando el refreno de los procesos naturales. Según la medicina china, la estación invernal está asociada a los riñones, las glándulas adrenales y la vejiga urinaria. Las toxinas y el dióxido de carbono tienden a acumularse a causa de la inactividad, y somos propensos a los resfriados, gripe, mala circulación y falta de vitalidad. El Emperador Amarillo dice así: acostarse temprano y esperar a que el sol inunde la casa antes de levantarse de la cama, vestir prendas calientes y hacer ejercicio físico, evitar los alimentos fríos y crudos en la dieta, reducir la sal para proteger los riñones, pero aumentando los sabores amargos, ser feliz y evitar el descontrol de las emociones. Éstas son las formas de prevenir los males del invierno.

Un Poco de Ayuda
con los Abdominales

En la enseñanza tradicional china, el malfuncionamiento digestivo supone el 90% de toda enfermedad. De ahí que el primer capítulo de este libro, «Qué comes», sea tan largo. En cualquier caso, independientemente de lo que comemos o de los suplementos que tomamos, las partículas mal digeridas se pueden adherir al intestino, intoxicando el aparato e impidiendo una completa absorción del alimento. Una forma de prevenir este problema es realizar la «limpieza interior», un sencillo ejercicio, una o dos veces al día, por lo menos una hora antes de comer. Con las rodillas un poco flexionadas, inclínate hacia delante y apoya las manos en los muslos, justo por encima de las rodillas. Presiona con las manos al tiempo que exhalas profundamente y tiras del estómago hacia dentro tanto como puedas. Conteniendo el aliento después de la exhalación profunda, usa los músculos abdominales para empujar el ombligo hacia dentro y hacia fuera varias veces. Luego reincorpórate mientras inspiras. Repítelo tres veces. El efecto no lo notarás de inmediato, pero con el tiempo, cada parte de tu cuerpo se beneficiará de los nutrientes absorbidos y consumidos del alimento que has ingerido.

Masaje
Invertido

La medicina occidental hace tal hincapié en la sangre, que a menudo los pacientes apenas saben nada de la linfa, otro fluido orgánico vital. La linfa es un líquido más o menos transparente que drena las impurezas y elimina los residuos celulares. Discurre por el espacio intercelular, pero no realiza ninguna función de bombeo semejante a la del corazón, sino que su flujo depende de los movimientos del cuerpo y los músculos durante el día. Cuando la linfa se estanca, puede provocar un edema (hinchazón) o permitir la acumulación de toxinas. Para que este sistema vuelva a moverse existe un tipo especial de masaje. El practicante ejerce una leve presión intermitente en los canales linfáticos, trabajando desde las extremidades hasta el corazón, es decir, la dirección opuesta en el masaje de los tejidos profundos. El masaje linfático es especialmente importante para los discapacitados, que pueden permanecer inmóviles durante largos períodos de tiempo, pero también es beneficioso para cualquiera que ansíe una larga vida. Muchos terapeutas masajistas están asimismo entrenados para trabajar en el sistema linfático. Pregunta en tu club de fitness si hay alguno. De lo contrario, consúltalo a tu médico.

Tus Manos
Pueden Ayudarte
a Respirar

La ciencia de la reflexología permite tratar patologías estimulando determinados puntos en los pies y las manos que están asociados a órganos internos. Veamos cómo puede contribuir a despejar las fosas nasales durante una inflamación de los senos. Pon la mano izquierda frente a ti con la palma hacia arriba. Luego, con la mano derecha, aprieta la base del dedo meñique y «camina» con el pulgar y el índice hasta la punta del dedo, con un leve apretón en cada «paso». Repítelo con los otros tres dedos. Para el pulgar, empieza en la punta y continúa hacia la base. Ahora haz lo mismo cambiando de manos. Aliviar una congestión reporta evidentes beneficios para la longevidad, pues facilita el perfecto suministro de oxígeno a todo el organismo.

Pruébalo
Boca Abajo

Al igual que todas las cosas en el universo físico, el cuerpo responde a la gravedad, y a medida que envejecemos, las caídas nos permiten, por desgracia, experimentarlo en propia carne. Pero la gravedad también actúa en los órganos internos, los fluidos y la estructura ósea. Para que todo funcione como es debido, conviene invertir de vez en cuando la presión, colocando el cuerpo boca abajo. Con una tabla de madera inclinada y los tobillos sujetos (correas, por ejemplo), ponte en un ligero ángulo, con los pies más elevados que la cabeza. Invirtiendo la presión en la columna durante cinco minutos al día, comprimirás los discos intervertebrales para iniciar la regeneración. El riego sanguíneo al cerebro también mejora (no estés demasiado tiempo en esta posición para que no afluya una excesiva cantidad de sangre a la cabeza). Además, la presión en los órganos se reacondiciona, y el flujo de la sangre y la linfa «descansan» en su rutina habitual.

Los Huesos: No Dejes que Puedan Contigo

Una cadera fracturada a causa de una osteoporosis te puede enviar lisa y llanamente a la tumba. A medida que vayas ganando edad, evita todo cuanto pueda debilitar el calcio en los huesos, como por ejemplo, entre los más acérrimos enemigos, el alcohol excesivo, la nicotina, la cafeína, el azúcar y la sal. Las bebidas refrescantes con cafeína son muy ricas en fósforo, que elimina el calcio de los huesos. Los fármacos pueden hacer lo mismo, de manera que, si tienes que medicarte, asegúrate de que el médico controla cuidadosamente el estado de tus huesos. Ni que decir tiene que un ejercicio con pesas, la exposición a una moderada cantidad de sol y seguir una dieta rica en verduras, legumbres y hortalizas pueden prevenir la osteoporosis.

Frío
por Fuera...

Las temperaturas extremas pueden poner en peligro la salud e incluso la vida. Para fortalecer el cuerpo y hacerlo más resistente a los cambios térmicos medioambientales, te recomiendo tomar duchas frías, que constriñen los vasos sanguíneos en la superficie y las extremidades del cuerpo, aumentando el riego sanguíneo a los órganos internos para incrementar la oxigenación y expulsar los productos residuales de estas partes vitales del cuerpo. Sin embargo, si no estás acostumbrado a las duchas frías, puedes aclimatarte poco a poco. Empieza frotando el cuerpo con toallas empapadas en agua fría, y transcurridos algunos días, deja correr el agua de la ducha o la bañera a una temperatura ligeramente más fría que de costumbre, usando menos agua caliente cada semana hasta ser capaz de tolerar completamente el agua fría.

... y Caliente
por Dentro

Si bien el frío está recomendado para la superficie del cuerpo, en el interior puede ser perjudicial. La mayoría de los alimentos y bebidas se deberían consumir a temperatura ambiente o próxima a la del cuerpo. Reflexiona un poquito. Un vaso de agua helada está a alrededor de 2 °C, con una diferencia aproximada de 35 °C en relación con la temperatura normal del cuerpo, que es de 37 °C. Las bebidas frías constriñen los vasos sanguíneos (lo mismo que hace el frío en todo el organismo), reduciendo el flujo de sangre al estómago y la secreción de jugos gástricos, lo cual, con el tiempo, puede provocar un declive en la función digestiva. También puede debilitar la función inmune en el tracto digestivo, quedando de este modo vulnerable a la infección producida por la bacteria *Helicobacter pylori*, la principal responsable de las úlceras de estómago. Para mantener el cuerpo en plena forma en el largo viaje hacia la senilidad, procura ser consciente de los pros y los contras del frío y el calor.

Jaque Mate al Insomnio en Cuatro Jugadas

El insomnio es un importante contribuyente al proceso de envejecimiento y el deterioro del sistema inmune. El famoso médico taoísta Ge Hong, que vivió durante la dinastía Han en el siglo III, aconsejaba estas secuencias de ejercicios para tratar y prevenir el insomnio. Estudios efectuados en China han demostrado una espectacular mejoría de la calidad del sueño en los pacientes de insomnio crónico realizando estos ejercicios, por la noche, durante 2-4 semanas.

En la primera secuencia, échate boca arriba con las rodillas flexionadas. Con las manos, tira de las rodillas hacia el pecho y respira con normalidad. Mantén esta posición durante 1 minuto y luego relájate, estirando las piernas y apoyando los brazos y las manos a los costados. En la segunda secuencia, sigue tumbado boca arriba, inspira y desplaza los brazos hacia arriba por encima de la cabeza. Al espirar, baja las manos y haz un masaje en tu cuerpo desde el pecho hasta el abdomen. Luego apóyalas de nuevo a los costados. Repítelo con cada respiración durante 1 minuto.

La tercera secuencia también se realiza tumbado boca arriba. Cierra las manos y coloca los puños debajo de la espalda lo más arriba posible, hacia los omóplatos, uno a

cada lado de la columna. Realiza tres respiraciones completas y luego baja de nuevo los puños poco a poco en cada tercera respiración, hasta que queden a la altura de la cintura. Ahora realiza cinco respiraciones, coloca los puños uno a cada lado de la columna y respira otras cinco veces.

Échate boca abajo para la cuarta secuencia y pon las manos debajo del abdomen. Inspira lentamente, llenando de aire el abdomen y el pecho, sintiendo cómo la energía penetra en todo el organismo. Luego, lentamente, exhala y visualiza lo negativo abandonando tu cuerpo. Haz una pausa después de cada exhalación y relaja los músculos. Hazlo durante 1 minuto.

Duerme
como un Ciervo

Ge Hong, un famoso médico taoísta que vivió en el siglo III, creía firmemente en la posibilidad de la inmortalidad física y dedicó una buena parte de su vida a esta búsqueda. Recomendaba una postura de sueño particular para practicar los cuatro ejercicios antiinsomnio (pp. 248-249), y una vez realizados, volverse del costado derecho para dormir. Es lo que se conoce como «postura del ciervo», pues se parece a la que adopta este animal cuando duerme. Se flexiona el brazo derecho con la palma de la mano hacia arriba frente a la cara, mientras el codo del izquierdo reposa en la cadera, con la mano caída delante del abdomen. La pierna derecha está estirada, en su posición natural, y la izquierda, flexionada, reposando en el colchón adelantada al muslo derecho.

La Detección Precoz
Prolonga la Esperanza
de Vida

El Clásico de Medicina del Emperador Amarillo dice que un buen médico trata la enfermedad antes de que se produzca, mientras que un médico malo lo hace cuando ya se ha manifestado. Para alcanzar la longevidad no sólo hay aplicar medidas antienvejecimiento, sino también prevenir la enfermedad, es decir, detectarla en su estadio más temprano. Además de los exámenes físicos anuales que ya realizas, deberías controlar con regularidad con el médico tu estado general de salud para que, si fuera necesario, el tratamiento pudiera iniciarse cuanto antes. Un simple análisis de orina para cuantificar el nivel de radicales libres se puede realizar en cualquier centro de naturopatía o visitando a un médico especializado en medicinas alternativas, que utilizará los subproductos del metabolismo de los radicales para detectar la presencia de estas toxinas en la orina, lo cual contribuirá a determinar la eficacia de tu programa antienvejecimiento.

Agudeza
Mediante la Digitopuntura

El declinar cognitivo caracterizado, entre otras cosas, por la pérdida de concentración y la memoria, es un síntoma común del envejecimiento. Esta práctica de autoayuda consiste en estimular dos puntos de digitopuntura fáciles de localizar: en la nuca, en la base del cráneo. Entrecruza las manos detrás de la nuca con las palmas ahuecadas, los pulgares en las hendiduras a cada lado del cuello, y los índices cruzados debajo del cráneo, justo encima de los pulgares. Siéntate en una silla, echa la cabeza hacia atrás y deja que los pulgares e índices ejerzan una presión natural en la nuca. Inspira por la nariz y exhala por la boca, lenta y profundamente, procurando relajar todo el cuerpo. Hazlo durante 3-5 minutos. Aumentarás el riego sanguíneo al cerebro, al tiempo que relajas los músculos del cuello, a menudo tensos a causa del estrés y la constricción de los vasos sanguíneos en esta área.

Planifica,
Apunta Alto

La salud y la longevidad no se consiguen por generación espontánea, sino que necesitan ayuda. La mayoría de nosotros vivimos en un entorno de contaminación, estrés y tentaciones constantes que nos invitan a comer alimentos poco saludables, y a menos que actuemos metódicamente para enfrentarnos a la marea del envejecimiento, nos barrerá. Planifica. Anota específicamente cómo quieres estar y sentirte en peso, energía, agudeza mental y estado de ánimo. ¿Cuál es tu ideal de creatividad, productividad y potencia sexual? ¿Qué síntomas de enfermedad que sufres en la actualidad te gustaría superar? Establece objetivos realistas y luego aplica los consejos de este libro para alcanzarlos. Conseguida una meta, revísala para seguir mejorando y progresando. No hay límites en lo sano y enérgico que te puedes sentir. Planifica apuntando alto.

CAPÍTULO 5: Quién Eres
Genética, Relaciones, Amor, Sexualidad y Fe

El abuso de las cinco emociones daña la energía que protege y alimenta los cinco sistemas orgánicos. Cuando la energía está dañada, el cuerpo es vulnerable a los ataques..., el yin y el yang divergen, los órganos están mal nutridos, propiciando, en consecuencia, la enfermedad, e incluso la muerte.

Clásico de Medicina del Emperador Amarillo

Para alcanzar cualquier objetivo en el futuro debemos empezar aquí y ahora. Si la salud y la longevidad figuran entre tus prioridades, entonces debes comprender qué es lo que ha hecho que seas como eres. Para empezar, eres la fusión física y espiritual de tus antepasados. Llevas sus genes. Conocer el historial médico familiar es un buen punto de partida en la búsqueda del autoconocimiento.

Los seres humanos son criaturas sociales complejas que evolucionan y se adaptan a los cambios externos. Tus relaciones con las personas en la vida (tus padres, hermanos, abuelos, primos, hijos, amigos, compañeros de trabajo y vecinos) contribuyen a modelar la panorámica de tu salud y tu experiencia emocional. Tan difícil como resulta educar a un hijo es también llegar a los cien años, y es fundamental construir una comunidad de personas a tu alrededor que te ayuden a conseguirlo.

Todos tenemos un arquetipo de constitución. ¿Te enojas con facilidad y eres espontáneo por naturaleza, o eres frío y calculador? Asimismo, tenemos la responsabilidad de controlar nuestras propias inclinaciones. Cuando nos enfrentamos mal a las emociones, perdemos el control. El resultado es el estrés, la causa subyacente del 80% de todas las enfermedades crónicas. En cambio, reírse a carcajadas catapulta el sistema inmunológico.

No es de extrañar que las parejas felizmente casadas vivan, por término medio, más años y más sanas que los solteros. Además de la seguridad emocional y la satisfacción derivada de un matrimonio comprometido, los miembros de la pareja reciben los beneficios regeneradores asociados a la intimidad sexual. Muchos estudios demuestran que quienes llevan una vida sexual activa son los hombres y mujeres más felices en cualquier grupo de edad.

Así pues, ¿qué función desempeña el amor en todo esto? El amor es una fuerza poderosa de la naturaleza y, para dominar su energía, primero hay que cultivar el amor hacia uno mismo. Sólo entonces serás capaz de amar y ser amado. Aun así, el amor romántico puede ser una espada de doble filo, nutriendo a quienes gozan de la compañía de su pareja, pero condenando a la infelicidad a quienes la han perdido. Suele ser habitual entre las parejas de edad avanzada que, cuando uno fallece, el otro lo siga poco después. Por otro lado, el amor universal, o el sentimiento humano más próximo a él, el amor materno, te libera de la angustia de la separación y el deseo, y te fusiona con la fuente de la esencia, que es la misma en todos los seres animados e inanimados.

Tu espiritualidad y tu fe personal son el elixir oculto en tu vida. Independientemente de cuál sea tu fe o credo religioso, si cultivas tu espiritualidad y fortaleces tu conexión con lo divino universal, o Dios, si lo prefieres, vivirás la paz interior y serás capaz de afrontar los problemas de la vida. Lee textos sobre espiritualidad, aplica lo que hayas aprendido para mejorar tu vida, practica la oración y la meditación, y expresa el amor universal a través del servicio a los demás, y tu evolución no sólo te iluminará, sino que también añadirá años a tu existencia.

Este capítulo ofrece consejos para construir relaciones armoniosas, técnicas de meditación para conectar con lo divino y prácticas sexuales para la salud y el bienestar. Úsalos bien y estarás en el camino hacia una vida feliz, sana y de plenitud espiritual.

Si Quieres Ver el Futuro,
Mira al Pasado

Las enfermedades cardiovasculares, la diabetes y el cáncer, es decir, las patologías más letales en el mundo industrializado, a menudo se heredan genéticamente. Para prevenir en lo posible el desarrollo de este tipo de trastornos de la salud, es importante conocer el historial médico familiar. Empezando por tus padres y abuelos de ambas vías, y siguiendo luego con los primos, etc., analiza el perfil de salud de cada pariente y, en el caso de quienes ya fallecieron, la causa de la muerte y los años vividos. En los cincuenta últimos años, la esperanza de vida humana se ha incrementado espectacularmente, debido en gran medida a la detección precoz y el tratamiento de las enfermedades. No te preocupes, pues, si muchos de tus ancestros fallecieron prematuramente a causa de una patología médica; es muy probable que actualmente se pueda curar. Y si disfrutaron de una larga vida, considérate afortunado, pero no te confíes. Haz todo cuanto esté en tus manos para darle a tu herencia genética favorable la mejor oportunidad de expresarse también en ti.

La Fe Espiritual
Puede Vencer
la Enfermedad

Muchas personas centenarias en todo el mundo proceden de trasfondos culturales pobres, mientras que otros han sufrido conflictos personales, tragedias o enfermedades. Sin embargo, todos ellos comparten una característica común: una profunda fe espiritual. La fe es la creencia en un poder superior, orden universal o fuerza que emana de la creación y que algunos llaman Dios. La fe permite encontrar la paz interior, aceptar las cosas tal como son y reconciliar la diferencia entre las expectativas personales y la realidad. He visto pacientes vencer enfermedades terminales con su fe espiritual. Como dijo uno de ellos que había superado un cáncer: «He puesto mis problemas en las manos de Dios y he vivido hasta los cien».

¡El Amor Puede Desobturar las Arterias!

Amar incondicionalmente y aceptar el amor del prójimo hace que la vida no sólo tenga un maravilloso significado, sino que también sea sana. Los investigadores han descubierto que un cuidado tierno y amoroso reduce la arteriosclerosis y el riesgo de sufrir infarto en conejos con elevadas cantidades de colesterol. Al parecer, incluso ver películas de amor o de personajes que inspiran altruismo aumenta los niveles de inmunoglobulina-IGA, la primera línea de defensa contra los resfriados y el virus de la gripe.

Vida Sexual Activa:
Felicidad y Longevidad

La mayoría de las personas de edad avanzada
experimentan una drástica caída en la frecuencia de la
actividad sexual a medida que envejecen, y como
resultado, olvidan la fuente secreta de la juventud que
rige en la naturaleza: una vida sexual sana, que eleva
los niveles de sustancias que alargan la esperanza de
vida, tales como las endorfinas, la hormona del
crecimiento y la DHED, y reduce el nivel de las que la
acortan, como en el caso de la adrenalina y el cortisol,
dos hormonas del estrés. Asimismo, las personas
mayores activas sexualmente son simplemente más
felices. Una sexualidad satisfactoria mejora no sólo la
calidad, sino también la cantidad de los años de vida.

Las Tres Llaves
de una Sexualidad Sana

Desde la antigüedad, la medicina china ha reconocido el poder de la sexualidad en relación con la salud, longevidad y espiritualidad. La adecuación y naturalidad son los rasgos característicos de una sexualidad sana. Tres principios la rigen. Veamos el primero. Sé consciente de tus necesidades y exprésalas. No fuerces el acto si no parece natural, si te sientes fatigado o si las condiciones no son seguras o propicias. Según el segundo principio debes «sintonizar». Sigue las estaciones del año. Los animales, en la naturaleza, se muestran más activos sexualmente en primavera y verano, y menos en otoño e invierno. La frecuencia del sexo también depende de tu estado de salud. Y ahora, el tercer principio: sé considerado. Es importante comprender el estado de ánimo, energía y necesidades de tu pareja para respetarlos y acomodarse a ellos. La satisfacción de los dos miembros de la pareja es el primer paso hacia la «cosecha» de los beneficios de la sexualidad.

La Práctica Sexual Taoísta
Revitaliza el Cuerpo
y el Alma

Como sabemos por instinto, una sexualidad que fomenta la salud, la longevidad y la espiritualidad es más que un mero acto de copulación. Los antiguos creían en la transformación productiva de la energía durante la actividad sexual y desarrollaron una disciplina basada en técnicas de práctica sexual cuyas raíces hay que buscar en la tradición taoísta. En efecto, como sugieren las investigaciones realizadas en China, unas prácticas sexuales correctas redundan en inmensos beneficios físicos y emocionales, desde un estado de ánimo elevado y relajación hasta el aumento de la circulación de la sangre para equilibrar la producción hormonal y potenciar el vigor. Por el contrario, un acto sexual incorrecto no rinde beneficio alguno e incluso puede resultar perjudicial, sometiendo a la pareja a un trauma emocional o físico. Aprende las técnicas sexuales del tantra, de la tradición del yoga y el fang-chung, y de las enseñanzas taoístas, y el sexo se convertirá en una parte esencial de tu programa longevidad.

Familia Amorosa, Larga Vida

Las personas centenarias son queridas por su familia, y los estudios indican que quienes viven en un entorno familiar feliz, suelen sufrir menos enfermedades y disfrutar de una esperanza de vida más dilatada.

Una buena relación familiar no tiene por qué ser necesariamente automática, pero merece la pena el esfuerzo personal para crearla y mantenerla. Invertir en tus relaciones puede rendir pingües dividendos en forma de una vida rica en amor, respeto y sentido de pertenencia. Llena tu familia de felicidad basada en la confianza, apoyo mutuo, amor, paz, saber escuchar, humildad, honradez, justicia y capacidad de compartir.

Un Buen Vecino:
Da Ejemplo

La literatura espiritual en todo el mundo ha destacado
un tema a lo largo de la historia: el amor al prójimo y
tratar a nuestros semejantes como desearíamos ser
tratados. Los vecinos son una parte importante del
apoyo en la comunidad. He oído decir a muchos
pacientes que su vida cambió extraordinariamente
cuando sus vecinos acudieron en su ayuda en tiempos
de necesidad. Los vecinos son como los parientes en
una familia. Ofrecen amistad y apoyo cuando te sientes
en soledad, fomentando una vida más larga y dichosa.

El Amor
Empieza Dentro

El amor es la emoción más poderosa que jamás experimentarás, y numerosos estudios sugieren que cuando lo sientes, se producen endorfinas y células inmunológicas en grandes cantidades. ¿Cómo se puede alimentar esta emoción que alarga la vida? De niño aprendiste a amar a tus padres, tus mascotas, tus hermanos, y de adulto ofreces tu amor a tu pareja, tus hijos y tus amigos. Pero ¿has aprendido a amarte a ti mismo? Para amar realmente a los demás, primero debes comprender y experimentar el amor hacia ti mismo. Sólo entonces sabrás cómo amar y apreciar a cuantos te rodean. Haz cada día por lo menos una cosa que fomente amor hacia ti, ya sea una actividad que te satisfaga, la repetición de afirmaciones de autoimagen positiva o incluso escribirte cartas como si las dirigieras a un nuevo amante.

El Amor Universal
te Une con lo Eterno

Dios es naturaleza, y la expresión de Dios en la naturaleza humana es el amor universal que habita en nuestro interior, no fuera o separado de nosotros. El amor universal es la capacidad de abrazarlo todo en el universo, desde la más pequeña de las hormiguillas hasta el inconmensurable cielo, lo hermoso y lo feo, lo bueno y lo malo. El amor universal desarma todos los prejuicios, disuelve todas las diferencias y devuelve a la mente a una consciencia esencial: todo procede de la misma fuente. Reconociendo y practicando el amor universal aprendes a aceptarte a ti mismo y tu vida, y pasas a formar parte de una vida mayor: la divinidad universal eterna. ¿Cómo podemos hacerlo? Practica la gratitud apreciando las fuentes y las personas que hacen posible que tengas lo que tienes, ya sea alimento, vestido, cobijo, trabajo, educación o una relación. Practica también la amabilidad buscando ocasiones de hacer feliz al prójimo: barre la acera delante de la casa del vecino, cede el asiento en el autobús a una persona de edad avanzada o da de comer a los indigentes. Cuando empieces, descubrirás muchas sendas que te pueden conducir al amor universal.

Sé Bueno con los Demás
para Serlo Contigo Mismo

La compasión, amabilidad y buena voluntad para servir a los demás son virtudes propias de la naturaleza humana. Estos rasgos disuelven el ego que nos mantiene separados de nuestros semejantes. Las personas compasivas comprenden al prójimo, se muestran empáticas con los demás y son menos propensas a enojarse, causas todas ellas de estrés e hipertensión. Cultivar la compasión es el primer paso para experimentar amor a la humanidad. De la compasión emerge la amabilidad, que se manifiesta en una acción altruista de servicio a los demás. La amabilidad genera buena voluntad y elimina el odio y la competencia, sentimientos que minan la calidad y duración de la vida. Los investigadores han descubierto que un servicio altruista y desinteresado fomenta no sólo el amor, la paz y la comprensión, sino que también produce células «asesinas» naturales que protegen de las infecciones.

A la Velocidad de la Luz:
Perdona y Olvida

Mi padre me enseñó esto: «El perdón es el poder que revitaliza las relaciones. Perdonar mantiene la vida en marcha, evoca amor y armonía y te hace espiritualmente fuerte». Además de perdonar, también deberías olvidar para liberarte definitivamente de tus desagradables experiencias en el viaje de tu vida. Mucha gente lleva a cuestas el equipaje del pasado durante toda su existencia, y cuanto mayor y más pesado sea este equipaje, mayores son las probabilidades de enfermar. Una característica muy particular de las personas centenarias es que perdonan y olvidan enseguida. Se desprenden de inmediato de las experiencias negativas y celebran las positivas en su vida. Si ejercitas las virtudes de personar y olvidar, fortalecerás tus relaciones con los demás, enriqueciendo y prolongando tu vida durante el proceso.

Ser
y Hacer

¿Ser o no ser? ¿Hacer o no hacer? Estos dilemas siempre nos ponen en apuros. Tal vez no como una respuesta, pero más o menos como una guía, considera lo que reza un antiguo proverbio chino: «A la luz de la virtud del equilibrio, verás el curso adecuado de la acción, la forma adecuada de vida y el papel adecuado que debes realizar. Sigue tu camino con valor y sin miedo». En otras palabras, desde una posición de equilibrio encontrarás una adecuación natural en ti con la que restaurar la rectitud en tu vida. Esta sabiduría estará siempre contigo en la senda hacia la longevidad.

La Academia de la Tolerancia: Lo Negativo se Vuelve Positivo

Puedes mejorar tu elasticidad emocional cultivando la tolerancia. A mayor flexibilidad emocional, mayor también tu capacidad de fluir con los altibajos de la vida. La tolerancia te permite que tus sufrimientos parezcan pequeños y tus bendiciones den la sensación de ser grandes. Alimentar la tolerancia ayuda a transformar situaciones potencialmente estresantes en la vida en otras positivas de resultado beneficioso.

Ante la Tentación,
Respeto por Uno Mismo

La autodisciplina es una virtud esencial para alcanzar el éxito en cualquier empresa. Si tu objetivo es vivir una vida larga, sana y feliz, entonces dominar los impulsos y resistir a las tentaciones es fundamental para alcanzarlo. La autodisciplina emana del respeto por uno mismo. Respeta la maravillosa oportunidad de estar vivo y respeta tu cuerpo como el templo de la divinidad universal. Tu verdadera naturaleza te ayudará a controlar las ansias de una gratificación instantánea y evitará que tomes un rumbo equivocado.

Vivir con Sencillez: Independencia, el Sello de Identidad de Todas las Personas Centenarias

Estudiando las personas centenarias en el transcurso de los veinte últimos años, he descubierto el poder de la independencia. Todos ellos llevan una vida sencilla y transparente, sin extravagancias. Asombrosamente frugales y sacando el máximo partido de sus escasos recursos, parecían sentirse orgullosos de su independencia. Incluso quienes habían superado la barrera de los cien seguían ocupándose de los quehaceres domésticos. Un proverbio chino dice: «La modestia trae la alegría, y todas las cosas crecen bien en ausencia de desorden y complejidad». Conserva tus recursos y no dejes que otros hagan lo que eres capaz de hacer por ti mismo.

Abraza, Acaricia, Mima:
Es Bueno para Ti

Desde tiempos inmemoriales, la sanación por imposición de manos ha sido considerada una técnica poderosa. Los investigadores han observado hace ya muchísimo tiempo que los bebés huérfanos dejaban de crecer e incluso morían por falta de caricias y amor. De un modo similar, los pacientes en estado de inconsciencia que experimentan el tacto en la piel se recuperan antes que los demás. El tacto humano induce una elevada producción de endorfinas, hormona del crecimiento y DHED, todo lo cual alarga la esperanza de vida y reduce los niveles de hormonas del estrés que pueden acortarla. Los abrazos tienen el mismo efecto. Los abuelos que abrazan y miman a sus nietos, los amigos y las parejas que se abrazan obtienen este mismo efecto beneficioso.

El Estrés Puede Ser
un «Trabajo Interior»

El estrés suele estar causado por un estímulo externo, pero nuestra respuesta desempeña una gran importancia en la forma en que nos afecta. En un estudio con dos grupos de ratones, un grupo fue expuesto a un gato vivo fuera de la jaula, y el otro a un gato idéntico pero de juguete. El grupo de ratones del gato vivo desarrolló más enfermedades y sólo vivió un tercio del grupo del gato de juguete. Aparentemente, los ratones advirtieron que no había ningún peligro real en el gato de juguete y acabaron por ignorarlo. Refrenando nuestras perspectivas en relación con las situaciones de estrés, a menudo se puede deducir que el peligro es una ilusión. Cuando moderamos nuestras reacciones a agentes estresantes potenciales, estamos neutralizando las situaciones negativas.

Medita,
no te Mediques

Durante miles de años, en Oriente se ha practicado la meditación como un instrumento para la paz interior y la espiritualidad. Existen tantas técnicas de meditación como tradiciones, aunque en su mayoría consisten en prácticas de respiración y visualización. Los efectos de una meditación regular han sido bien documentados por innumerables estudios, y entre sus beneficios se incluyen el descenso de la tensión arterial, una menor incidencia de enfermedades cardiovasculares, el alivio del dolor crónico y el aumento de la claridad mental. Con frecuencia sólo se requieren 15 minutos de práctica diaria para disfrutar de los beneficios de salud derivados de la meditación. Por poco que busques en las librerías, encontrarás una miríada de cursos en vídeo o CD; en los centros de yoga y tai chi también se imparten clases. Empieza a meditar hoy y las tensiones se disiparán poco a poco.

Sé Como un Niño de Dos Años: ¡Di «No»!

El principal estresante para muchas personas es su esfuerzo por complacer y agradar a cuantos los rodean. Nos sentimos más tranquilos cuando dominamos las situaciones, pero cuando nos vemos superados por los compromisos, escapan a nuestro control y nos sentimos abrumados, y en consecuencia estresados. La palabra «no» es poderosa. Deberíamos reaprenderla y utilizarla. Si somos conscientes de nuestras limitaciones y de nuestra necesidad de paz interior, y decimos «no» a cargas adicionales, recuperamos el control de nuestra vida y aliviamos el estrés. ¿Recuerdas lo satisfecho que te sentías cuando recurrías invariablemente a la palabra «no» a los dos añitos?

Receta para la Longevidad:
Un Matrimonio Feliz

Las investigaciones han confirmado que las parejas felizmente casadas viven, por término medio, cuatro años más que los solteros. La plenitud emocional y psicológica derivada de una relación satisfactoria a largo plazo ayuda al individuo a afrontar y superar las dificultades de la vida eludiendo al terrible depredador: el estrés. Asimismo, los psicólogos atribuyen el aumento de la esperanza de vida al sentido de interconexión con otro ser humano. Según un estudio, casi el 100% de los varones centenarios están casados o han enviudado recientemente.

Qigong
para Exhalar el Estrés

Además de desintoxicar el organismo, algunas técnicas de respiración revitalizan, relajan y regeneran. El qigong, originario de China, es una de ellas. En esta práctica debes concentrarte en cada respiración, controlando la velocidad y profundidad de inhalaciones y exhalaciones. La finalidad es ralentizar, suavizar y hacer más profunda cada respiración. Con cada exhalación, pronuncia mentalmente la palabra «calma» y expulsa la tensión de una parte del cuerpo, empezando por la coronilla y continuando hasta los pies. Expulsa la tensión a través de los dedos y la planta de los pies.

Háblale a la Mente:
La Paz de Corazón

Ser consciente de los sentimientos es una de las formas
más eficaces de neutralizar las emociones negativas. Al
hacerlo, te proteges de los flujos de hormonas del estrés
que estas emociones producen en el organismo, acortando
potencialmente la vida. Deja que la gente sepa cuándo te
sientes infeliz, disgustado o dolido por algo. Una vez
que hayas interiorizado el sentimiento, aunque no
necesariamente lo hagan los demás, tenderá a disiparse
y los problemas que te estaba ocasionando desaparecerán.
Si guardas los sentimientos en tu interior, corres el riesgo
de explotar al menor incidente, perjudicando aún más si
cabe tu salud. Reconoce y confiesa lo que abriga tu
corazón y firma con él una paz duradera.

Estreñimiento Mental:
Descarga la Negatividad

Si llevas algunos días sin ir de vientre, no sólo sufres estreñimiento, sino que también estás saturado de productos residuales y toxinas que pueden perjudicar tu organismo. Lo mismo ocurre en la mente. Los pensamientos, sentimientos e imágenes negativos pueden «intoxicarte», afectando subconscientemente a tus pautas y comportamientos. Para combatir este «estreñimiento mental», al término de la jornada escribe en un diario las experiencias que has vivido para descargar toda la negatividad. Escribir te permite reflexionar, comprender una situación y observar tus sentimientos en perspectiva. Por último, y para que la eliminación sea completa, arranca las páginas del diario y quémalas. Te sentirás liberado.

Ríete
de Todo

El difunto Norman Cousins fue el pionero de la «terapia de la risa» y de la nueva disciplina médica llamada psiconeuroinmunología, el estudio del impacto de la mente en las funciones inmunológicas del organismo. Él y otros investigadores descubrieron que la risa y la alegría disparaban las funciones inmunológicas, especialmente la producción de las células «asesinas» naturales que defienden el cuerpo de las infecciones y el cáncer. Asimismo, reír también aumentaba la liberación de endorfinas en el cerebro. Sin lugar a dudas, las personas felices viven más años y llevan una vida más sana. Lee tiras cómicas o mira películas divertidas, y sobre todo ríete a carcajadas a la menor ocasión para ir engrosando tu cuenta de salud en el banco de la longevidad.

No al Desorden,
No al Estrés

Simplifica tu vida eliminando los objetos y actividades
innecesarias que, en conjunto, consumen una parte muy
significativa de tu energía, recursos que puedes dedicar a
tu salud y bienestar. El mundo rápidamente cambiante en
que vivimos nos constriñe a adquirir más y más cosas.
Cuando más consumimos, más esclavos somos de
nuestras pertenencias. Mira a tu alrededor, en la casa,
busca cosas que no hayas usado en los tres últimos
meses y despréndete de ellas o entrégalas a una
asociación benéfica. El desorden te hace desorganizado,
aumentando tu nivel de estrés. Minimaliza tu entorno;
te sentirás mejor y más sosegado.

Cáncer:
Represión y Estrés

El estrés es una de las principales causas del cáncer. Los pacientes con cáncer han sufrido probablemente graves pérdidas personales a una temprana edad o experimentado depresión crónica con intensos y persistentes sentimientos de impotencia y desesperanza mayores que el resto de la población. Quienes han estado sometidos a un prolongado estrés y las personalidades de tipo C, caracterizadas por una fuerte tendencia a negar y reprimir sus propios sentimientos, son mucho más propensas a desarrollar cánceres. Estudios recientes han confirmado el efecto del estrés emocional en el organismo. La neuroendocrinología es una de las nuevas disciplinas que tiene sus orígenes en estos estudios sobre las conexiones entre la mente y las emociones en los sistemas autónomo, inmunológico y endocrino.

El Bazo:
¿De qué Color lo Tienes?

Se trata de una sencilla práctica de meditación que contribuye a energizar los órganos internos. La meditación de las «Cinco Nubes» implica la visualización de los colores asociados a cada uno de los cinco sistemas o aparatos orgánicos esenciales para la vida. Es una antigua técnica incluida en *El Clásico de Medicina del Emperador Amarillo*. Los cinco colores elementales correspondientes a los cinco sistemas orgánicos son el verde para el hígado, el rojo para el corazón, el amarillo para el bazo, el blanco para los pulmones y el azul para los riñones. Empieza imaginando una pequeña nubecilla del color de cada órgano en el orden indicado y dedica 2-5 minutos a cada sistema orgánico. Una vez completadas las cinco nubes de colores, expándelas gradualmente hasta que los cinco colores se mezclen y acaben formando un arco iris.

El Sistema de Alerta Precoz:
La Meditación
de la Conciencia

Tomar conciencia de los estados naturales del cuerpo contribuye a detectar cambios sutiles en la salud. Esta meditación de la conciencia es una práctica sencilla, pero poderosa, que se puede practicar en cualquier momento y lugar. Cierra los ojos durante un minuto y concéntrate en la respiración. ¿Es rápida o lenta, superficial o profunda, corta o larga? ¿Notas cómo se expanden y contraen los pulmones y el abdomen mientras respiras? A continuación, también durante un minuto, amplía esa conciencia a todo tu cuerpo. ¿Sientes algún malestar o dolor? ¿Notas la digestión? ¿Adviertes movimientos intestinales? ¿Cómo te sientas o te acuestas? ¿Eres capaz de sentir el flujo de energía y de la sangre en el organismo? Finalmente, y también durante un minuto, amplía ahora esa conciencia al entorno exterior. Experimenta las condiciones de luz, temperatura, los sonidos sutiles, olores y la gente que está a tu alrededor. ¿Cómo reaccionas? Anota tus observaciones en un bloc y revísalas con regularidad para detectar cambios que pudieran merecer tu atención.

Corazón Feliz,
Corazón Sano

Según la medicina oriental, la alegría es la emoción asociada al corazón. Los investigadores vienen observando, desde hace ya mucho tiempo, que las personas felices y afortunadas son menos propensas a las patologías coronarias. Un estudio demostró que uno de cada cinco pacientes con enfermedades cardiovasculares procede del grupo de población aquejado de depresión grave. Los oncólogos, por su parte, han descubierto que las emociones placenteras aumentan los niveles de las células inmunológicas «asesinas» naturales. «Practica» la alegría en tu vida diaria. Deja que llene tu corazón, y éste cuidará de tu salud.

Ansiedad:
Controlar las Crisis

A menudo las personas agravan inadvertidamente el estrés con su ansiedad durante un período de crisis, provocando la producción de la hormona del estrés y otros perjuicios en la salud. Para aliviar la ansiedad, habla de tus miedos y preocupaciones con tus amigos, familia, compañeros de trabajo o, si es necesario, con un psicoterapeuta. Elimina de la dieta estimulantes tales como la cafeína y también de la medicación, si la tomas, que asimismo puede incluir cafeína y compuestos de efedrina. Describe en una hoja de papel la situación más temida y que te provoca más ansiedad, y luego quémala para expulsarla de tu vida.

Tu Salud
Es tu Empresa

Para vivir más años y más sano, lo primero que debes hacer es asumir la responsabilidad de ti mismo y de tu vida. La independencia es una cualidad común entre las personas centenarias, muchas de las cuales continúan ocupándose de sus tareas cotidianas hasta el penúltimo día de su vida. Si estás en manos de médicos, no te sientas decepcionado. Aprende a velar por tu salud y haz cuanto puedas para conservarla o incluso mejorarla. Esto significa controlar los impulsos para conseguir una satisfacción instantánea, «adueñarte» de tu enfermedad para ser capaz de cambiarla, y practicar el perdón y la aceptación de ti mismo a fin de seguir evolucionando como persona. Asimismo, asumir la responsabilidad de tu propia salud también te proporciona el poder de cambiar bienestar por enfermedad, felicidad por tristeza y paz por conflicto.

El Poder de la Intención

El poder de la intención puede crear respuestas físicas y
evocar una respuesta energética a partir de la divinidad
universal. Tradicionalmente, una invocación es un verso
que se recita con un propósito mental y espiritual,
y la finalidad de alcanzar un resultado beneficioso.
La «Invocación para la Salud y la Longevidad» procede
del *Manual de desarrollo espiritual* de Hua-Ching Ni.

*Soy fuerte; el cielo está despejado. Soy fuerte; la tierra es
sólida. Soy fuerte; los humanos están en paz. Mi vida se apoya
en las esferas armoniosas del cuerpo, la mente y el espíritu que
habita en mi interior. Todos mis elementos espirituales vuelven
a mí. Todos mis guardianes espirituales me acompañan. El yin
y el yang de mi ser están bien integrados. Mi vida está
firmemente arraigada. Mientras sigo el sendero de la
revitalización, mi mente y mis emociones se tornan sanas y
activas. La diosa de mi corazón colma mi vida. La energía
interior equilibra mi crecimiento espiritual, y todos los
obstáculos se disipan ante mis ojos. Mi poder natural de
sanación contribuye a una vida larga y feliz, de manera que
mi plenitud virtuosa en el mundo puede ser satisfecha.
Siguiendo la ley sutil y la forma de vida integral, atraigo hacia
mí la fuente divina de la salud y longevidad.*

«Ser sin Esfuerzo»
Significa Vivir Más

El célebre sabio chino Lao Tse fomentó un concepto y una práctica llamada *wu wei*, que significa «ser y hacer sin esfuerzo». «Ser sin esfuerzo» quiere decir ser natural, no forzado, y capaz de adaptarse, y «hacer sin esfuerzo» significa no aplicar una energía indebida ni forzar las cosas. La mayoría de la gente se debate denodada e innecesariamente en la vida, precipitándose contra las paredes en lugar de buscar la puerta. Muchos agotan su energía cavando en tierra seca y dura en lugar de ablandarla primero con agua. Ten presente estas metáforas y trasládalas a tu vida diaria. Por ejemplo, en conflictos de relación, cuanto más intentes controlar el resultado, más encarnizada será la contienda. Conviene esperar a que las dos partes se tranquilicen y expulsen completamente la agresividad en lugar de afanarse en seguir hurgando incansablemente entre las ruinas. Si practicas el wu wei en tu vida, serás recompensado con alegría, energía, salud y longevidad.

¿Ambición?
Los Centenarios
No la Tienen

Cuando está controlado por sus deseos, el ser humano no tarda en desgastarse y perder la salud. El ansia de comer, sexo, dinero y poder se convierte en una adicción y una obsesión, aunque el desencadenante haya sido el instinto natural de supervivencia. La sabiduría que usas para llenar tus deseos instintivos básicos determinará tu éxito en la consecución de la autoconservación. Las personas centenarias saben que el secreto de la larga vida y la salud reside en controlar los afanes, no al revés.

Tu Rostro Habla
de tu Tipo Corporal
Elemental

En la medicina china, la determinación del tipo corporal del individuo permite al doctor realizar un diagnóstico y una prescripción a tenor de la constitución personal del paciente. El modo más fácil de determinar el tipo corporal elemental es mediante la forma del rostro. (Aunque los contornos faciales pueden cambiar un poco con las fluctuaciones del peso y la edad, la forma básica no varía.) Por ejemplo, una forma rectangular representa el tipo corporal «madera». Los otros cuatro pares son: cuadrado, tipo «metal»; triángulo invertido, tipo «fuego»; trapezoide invertido, tipo «tierra»; oval, tipo «agua». A continuación se dan consejos de longevidad para cada tipo corporal elemental.

Tipo Corporal: Madera.
Consejo: Relajación

Los tipos madera (forma del rostro rectangular) son propensos a los desequilibrios hepáticos y de la vesícula biliar, y también a trastornos cardiovasculares tales como infartos, hemorragias cerebrales e hipertensión. La personalidad tiende a ser nerviosa, impaciente, autoritaria y competitiva, predisponiendo a los tipos madera a trastornos nerviosos como episodios bipolares y ataques de pánico. Los problemas musculares, de los tendones y las uñas también son habituales. El descanso y la relajación son esenciales para evitar que el tipo madera estalle. La meditación para la liberación del estrés y el tai chi pueden contribuir a contrarrestar esta constitución excitable. Si te reconoces como de tipo madera, harás bien en evitar el alcohol, la carne roja y los alimentos grasos.

Tipo Corporal: Metal.
Consejo: Ejercicio

Las personas de tipo metal (forma del rostro cuadrada) siguen la ley y el orden. Son precisos y organizados, metódicos y a menudo idealistas. Estos perfeccionistas cerebrales y lógicos pueden depender demasiado del intelecto y perder el contacto con sus sentimientos y su elemento físico. En consecuencia, las emociones reprimidas o inadvertidas, en particular la tristeza y el pesar, pueden provocar estrés y debilitar el sistema inmunológico. Los tipos metal son propensos a problemas pulmonares, sinusitis, garganta, intestinos y piel. Si eres de tipo metal, haz ejercicio con regularidad para equilibrar el cuerpo y la mente, y procura expresar los sentimientos mediante el arte, evitando la comida muy picante, procesada o refinada.

Tipo Corporal: Fuego.
Consejo: Serenidad

Si eres de tipo fuego (forma del rostro de triángulo invertido), prestas atención a los pequeños detalles, eres apasionado, carismático y espontáneo. Los tipos fuego también son muy creativos; su mente nunca deja de trabajar. Son empáticos y conectan con la gente a nivel emocional. Sin embargo, son propensos a los problemas coronarios, especialmente palpitaciones y pulso cardíaco acelerado, y tienden a desarrollar trastornos circulatorios tales como venas varicosas. Con frecuencia, las explosiones emocionales, ansiedad o sobreexcitación perturban su vida. Los tipos fuego suelen tener dificultades para conciliar el sueño y funcionan bajo los dictados de una energía nerviosa. ¿Se ajustan a tu perfil estas características? De ser así, necesitas estabilidad y calma. Asimismo, si eliminas los estimulantes de tu dieta, tu estilo de vida resultará muy beneficiado.

Tipo Corporal: Tierra.
Consejo: Basta de azúcar

Los tipos tierra (forma del rostro de trapezoide invertido) son cuidadosos y relativamente estables, al igual que la energía de la tierra que encarnan. Suelen estar bien relacionados, son de trato fácil y realizan gustosamente sacrificios personales para ayudar a un amigo íntimo o miembro de la familia a alcanzar un objetivo personal. Aun así, los tipos tierra tienden a preocuparse excesivamente por las cosas y son propensos a desarrollar trastornos digestivos, al sobrepeso y la pérdida de energía. El abotargamiento, retención de líquidos y dolores musculares son comunes. Entregarse abiertamente a los demás suele traducirse en los tipos tierra en un ansia de comer con el fin de satisfacer sus propias necesidades de toda índole. Si eres tipo tierra, evita el azúcar, los dulces y los hidratos de carbono refinados, tales como el pan, la pasta y la bollería. Aprende a decir «no» para evitar el agotamiento de energía. Sé más espontáneo, lúdico y físico.

Tipo Corporal: Agua.
Consejo: Menos Sal

Los tipos agua (forma del rostro ovalado) son introspectivos, misteriosos e incansables buscadores de la verdad. Tienden a ser muy imaginativos, originales y poseen un fuerte impulso sexual. Les gusta ser autosuficientes, nunca desperdician nada y no se rinden con facilidad. Pueden debatirse en la soledad y el aislamiento, pues se muestran muy críticos y les resulta difícil compartir con los demás. Este tipo corporal es propenso a los trastornos de riñón, vejiga urinaria y aparato reproductor, y pueden sufrir dolores de espalda, caries dental y pérdida de memoria. El desequilibrio hormonal es otra característica común. La tradición china recomienda evitar la sal en la dieta y añadir más «endulzantes» a la vida social. Busca la conexión espiritual y alcanzarás la plenitud en tu vida.

Sabiduría Interior:
Préstale Oídos

Todos hemos oído historias de personas centenarias que atribuyen su longevidad a una práctica extravagante: tal vez beber un vaso de whisky cada día, caminar cinco kilómetros antes de desayunar o incluso rezar. Estas cosas no son aconsejables para todos, sobre todo para quienes no lo han hecho antes. Pero la mayoría de nosotros tenemos una rutina o práctica que nos alimenta y mantiene a nivel intelectual, aunque no sepamos a ciencia cierta por qué. Puede que la acción no se ajuste al marco de un dogma o filosofía, sino que sea estrictamente personal, es decir, un ritual exclusivo para ti. Presta atención a tus hábitos y aprende a distinguir las aficiones y prácticas que te ayudan a seguir adelante.

La Boca
y la Palabra

Un antiguo proverbio chino dice que la mayoría de las enfermedades proceden de cosas que entran por la boca y la mayoría de los problemas, de las palabras que salen de ella. La primera parte es fácil de comprender: come alimentos naturales y disfrutarás de un cuerpo sano y una mente despejada. Pero ¿cuántas personas evalúan sus pensamientos antes de hablar? Quien más quien menos se ha arrepentido alguna vez de cosas que ha dicho o no ha dicho. Sé honesto al expresar tus sentimientos, sé amable cuando critiques algo o a alguien, muéstrate positivo al manifestar tus ideas, receptivo al encajar las críticas y humilde acerca de tus virtudes. Si prestas atención a los alimentos que ingieres («entran por tu boca») y las palabras que salen de ella, gozarás de vitalidad física y paz en tu corazón.

Los Extremos Emocionales
Pueden Matar

En la tradición sanadora china se considera que las
emociones influyen en los órganos internos, y viceversa.
Experimentar emociones es, sin ningún género de dudas,
una parte normal de la vida, pero los extremos pueden
inducir desequilibrio y enfermedad, incluyendo un fatal
desenlace. Los excesos en las siete emociones están
relacionados con órganos específicos: la ira afecta al hígado
y la vesícula biliar; la alegría desmesurada (manía) puede
desequilibrar el corazón y el intestino delgado; la tristeza
y el pesar afectan a los pulmones y el intestino grueso; la
preocupación excesiva trastorna el bazo y el estómago; y el
miedo crónico (inseguridad) y el miedo (*shock*) pueden
afectar a los riñones y la vesícula urinaria. Cuando te
asalten estados emocionales extremos, respira hondo y
descansa para restaurar el equilibrio en el metabolismo.
O mejor aún, medita a diario para evitarlos antes de que
se manifiesten.

CAPÍTULO 6: La Mezcla
Consigue una Vida Plena
y un Legado Personal

Vivir una vida plena es un deseo humano universal. Una vida de este tipo viene definida por múltiples atributos. Al escribir este libro he intentado hacer las cosas lo más fáciles posible para que goces de salud, bienestar y longevidad. Ahora es tu turno de saciar tu potencial aplicando los conocimientos que has aprendido. En tu búsqueda de la optimización de quién eres y dónde estás, así como de lo que comes y lo que eres, el enfoque holístico de este libro puede serte útil.

El más básico de los atributos para disfrutar de una vida en plenitud es la salud. Si has leído este libro, habrás aprendido a alcanzar una salud óptima reduciendo los riesgos de enfermedad combinando la sabiduría oriental y la occidental. En este enfoque de la salud se combinan las tradiciones antiguas y de probada eficacia y los avances de la ciencia moderna. La longevidad sólo es un producto derivado de una excelente salud, la base a partir de la cual gozar del verdadero potencial de tu vida.

Entre otros atributos de una vida plena se incluyen la alegría, el amor, la libertad, la prosperidad, la sabiduría y otras más. Vivir con alegría la vida de cada día es una bendición al alcance de todos. Requiere un profundo deseo y predisposición al cambio. Si te sientes infeliz, elige ser de otra manera. Tienes el poder para hacerlo, ya que en realidad nada ni nadie puede hacerte infeliz: sólo tú determinas cómo te sientes. Asume el compromiso de infundir alegría en tu vida y la de tus semejantes.

Amar y ser amado es crucial, puesto que el amor es fundamental para la vida. Empieza con el amor benevolente de la divinidad universal, o Dios, expresado a través del amor materno hacia los hijos y la bondad que todos los seres humanos pueden sentir entre sí y también hacia los seres vivos. La alquimia del amor trata de la atracción entre dos personas que las inspira a estrechar sus lazos y formar una familia, la piedra angular del universo eterno. También es el sentimiento que hace que el individuo crezca y comparta en comunidad, dando y recibiendo apoyo.

La libertad es algo que se suele dar por sentado en los países desarrollados. La libertad de pensar, de expresarse y de ser debe ser valorada y preservada, pues nos permite desarrollarnos como individuos únicos y creando colectivamente la diversidad en la que vivimos. Cultiva en tu cuerpo la libertad de la enfermedad, en tu mente la del prejuicio, y en tu espíritu la liberación de los vínculos esclavizantes a cultos religiosos y al fundamentalismo. Sólo así experimentarás una auténtica libertad sin límites.

Otro atributo básico es la prosperidad en un sentido tanto material como inmaterial. Los bienes materiales son necesarios para vivir una vida confortable y segura. Por otro lado, es perfectamente lícito sentirse motivado por un trabajo duro a cambio de una decente calidad de vida. Ser creativo y productivo te beneficia a ti y a los demás. También es necesaria la prosperidad intangible, o buena voluntad. Acumularla forma parte de la naturaleza humana. La buena voluntad es como el alimento del alma: a mayores existencias, mayor bienestar.

La vida sin un significado es una vida vacía. Sólo tú puedes saber cómo es tu vida. Dedica el tiempo necesario a explorar y definir su finalidad. ¿Es como la de una hormiga afanándose en busca de alimento o la de una mariposa revoloteando de flor en flor sin mayores propósitos? Las hormigas y las mariposas tienen su rol que desempeñar en la ecología de nuestro planeta y en el universo. La diferencia entre los humanos y los insectos es la libertad de elegir la misión en la vida. ¿Cuál es la finalidad y el rol de tu existencia? Cuando encuentres esa misión y dediques tu energía a satisfacerla, alcanzarás la plenitud.

Se ha dicho que todos queremos salud y sabiduría. La sabiduría no se puede definir fácilmente, aunque todo el mundo anda en su búsqueda, considerándola como el mayor de los logros humanos. Lo chocante es que esta sabiduría no suele manifestarse hasta que se ha alcanzado una edad avanzada, cuando lo cierto es que a nadie le gusta envejecer. La sabiduría es esencial para tener salud, y estar sano permite, a su vez, prolongar la esperanza de vida y seguir adquiriendo más sabiduría. A través de las lecciones y prácticas continuadas de vivir una vida en equilibrio y armonía, además de cultivar el espíritu, la sabiduría que hay en ti crece día a día, y con ella la obligación de compartirla en forma de servicio a los demás.

Finalmente llegamos al tema que la mayoría de la gente desearía evitar, pero que por desgracia es inevitable. Imaginemos que, como resultado de haber seguido los consejos de este libro, estás en la etapa final de una vida larga, sana, llena de significado y productiva, y que te enfrentas cara a cara con la muerte. Gracias a la espiritualidad que has desarrollado a lo largo de tu existencia, tu alma evolucionará y retornará al universo infinito del que procedías, pero tu vida física se extinguirá. ¿Será una salida rápida y sin esfuerzo o una partida lenta y dolorosa? Si durante la vida has hecho cuanto estaba en tus manos para vivir tu vida de una forma sana y natural, es probable que disfrutes de un tránsito pacífico. La causa de la muerte será la avanzada edad, y el trance de la muerte, fugaz.

Te sugiero que, como ejercicio útil, empieces pensando en el final. Vive la vida como si estuvieras viendo una película. ¿Cómo te gustaría que te recordaran? ¿Qué legado dejas atrás? ¿Es mejor el mundo gracias a ti? ¿Quién te acompaña en este momento? ¿Qué tipo de relaciones significativas has experimentado en tu vida? ¿En la vida de quiénes has marcado la diferencia? ¿Te sientes alegre y jubiloso, y preparado para reunirte con el reino divino?

De algún modo se alcanza la inmortalidad a través del legado, y para construirlo necesitarás tiempo.

¡Que vivas una vida larga y feliz!

Páginas Web

Acupuncture.com

La página web más antigua, completa y actualizada sobre acupuntura, medicina herbal china, nutrición, *body work* tuina, tai chi, qigong y otras prácticas afines. Este excelente recurso para consumidores y profesionales da acceso a centenares de publicaciones y productos herbales.

www.acupuncture.com

American Academy of Anti-Aging Medicine

Organización que cuenta con 11.500 médicos y científicos procedentes de sesenta y cinco países, la American Academy of Anti-Aging Medicine (A4M) es una sociedad médica dedicada al desarrollo de terapias relacionadas con la ciencia médica sobre la longevidad. Su página web contiene gran cantidad de artículos de investigación relativos a la longevidad y a las terapias antienvejecimiento. También organiza conferencias por todo el mundo.

www.worldhealth.net

AskDrMao.com

Página web oficial de *Secretos de longevidad*. En ella encontrarás consejos para gozar de una vida más larga y feliz y con buena salud. Suscríbete al boletín electrónico del doctor Mao y recibirás respuestas sobre secretos de antienvejecimiento, así como estrategias para una vida sana.

www.askdrmao.com

bWell

Es un centro de investigación y tratamiento para la exposición a toxinas medioambientales como PCB, dioxinas, metales pesados y drogas ilegales. Fundado por el doctor James Dahlgreen, toxicólogo de la Universidad de California en Los Ángeles (UCLA), el centro ofrece un programa de desintoxicación y bienestar científicamente probado que incluye métodos orientales y occidentales para eliminar del organismo hasta el 60 % de las grasas solubles, sustancias químicas y toxinas.

www.bwellclinic.com

Center for Food Safety

Organización sin ánimo de lucro, este centro para la seguridad alimentaria lucha por la mejoría de los estándares orgánicos, fomenta una agricultura sostenible y protege a los consumidores de los peligros de los pesticidas y los alimentos genéticamente modificados.

www.centerforfoodsafety.org

Center for Mind-Body Medicine

Organización educativa sin ánimo de lucro, este centro de medicina mente-cuerpo, fundado por el doctor James Gordon, se dedica a revitalizar el espíritu y transformar la práctica de la medicina. El centro trabaja para crear un modelo de asistencia y educación sanitarias más eficaz y completo, combinando la precisión de la ciencia moderna con las mejores tradiciones curativas del mundo.

www.cmbm.org

Gerontology Research Group

Este grupo de investigación gerontológica se compone de profesores, investigadores científicos y médicos que comparten los últimos descubrimientos y manifiestan sus opiniones acerca del envejecimiento y las técnicas de prolongación de la vida. Fundado por el doctor L. Stephen Coles, profesor e investigador en tecnología celular y medicina de la longevidad en la Facultad de Medicina de la Universidad de California en Los Ángeles, también organiza foros mensuales abiertos al público en el campus de la UCLA.

www.grg.org

Healing People Network

Página web muy completa sobre medicinas alternativas y complementarias para consumidores y profesionales, que aborda en profundidad temas como acupuntura, aromaterapia, ayurveda, *body work*, medicina china, reducción del riesgo de cáncer, toxicología medioambiental, formación de fitness, fitoterapia, homeopatía, naturopatía, nutrición y estilo de vida, salud de los animales de compañía y otras modalidades curativas naturales. La web también ofrece acceso a más de mil suplementos farmacéuticos.

www.healingpeople.com

Herb Research Foundation

Facilita información útil sobre hierbas terapéuticas sometidas a una exhaustiva investigación y publica una revista sobre hierbas, *HerbalGram*.

www.herbs.org

Natural Resource Defense Council

El NRDC (Consejo para la Defensa de los Recursos Naturales) es una de las organizaciones más activas en la acción medioambiental. Mediante el uso de la ley, la ciencia y el apoyo de más de un millón de miembros y activistas *on-line*, protege la vida salvaje y los hábitats naturales con el fin de asegurar un entorno apto para los seres vivos. También publica un interesante boletín mensual.

www.nrdc.org

Tao of Wellness

Estos centros de salud y bienestar de California están especializados en ofrecer servicios de calidad en acupuntura y medicina china. El doctor Maoshing Ni es cofundador de la organización.

www.taoofwellness.com

The Chopra Center

Balneario y centro de relax fundado por el doctor Deepak Chopra y situado en San Diego, California, ofrece una amplia variedad de servicios de salud y rejuvenecimiento basados en la integración de la alopatía y las tradiciones ayurvédicas de la India.

www.chopra.com

The Grain and Salt Society

Ofrece sales marinas sin refinar, alimentos integrales biológicos, utensilios de cocina tradicionales y productos y libros sobre higiene.

www.celtic-seasalt.com

Weil Lifestyle LLC

La organización del doctor Andrew Weil publica el conocido boletín *Self Healing* y dispone de una página web considerada como el principal recurso *on-line* dedicado a la vida sana basada en la medicina integradora. También facilita consejos diarios vía correo electrónico y actualizaciones semanales sobre temas relacionados con la salud.

www.drweil.com

World Research Foundation

WRF (Fundación Mundial de Investigación) estableció una red internacional sobre salud para informar al público sobre todos los tratamientos disponibles en el mundo entero. Esta fundación sin ánimo de lucro es uno de los pocos grupos que ofrecen información sobre salud relacionada con técnicas alopáticas y medicinas alternativas.

www.wrf.org

Yo San University

La Universidad Yo San, una acreditada escuela de medicina tradicional china fundada por el doctor Maoshing Ni y su familia, destaca por su rigor académico y clínico, y sus programas de desarrollo espiritual preparan a los alumnos para la práctica profesional de la acupuntura y la medicina oriental. Su Healthy Aging Initiative (Iniciativa para un Envejecimiento Sano) está subvencionada por una beca de investigación que le fue otorgada por la Fundación Unihealth.

www.yosan.edu

Bibliografía

Adlercreutz, Herman, «Lignans and Phytoestrogens: Posible Protective Role in Cancer», *Frontiers of Gastrointestinal Research*, 14:165-176, 1988.

Anderson, James W., «Dietary Fiber and Diabetes», *Journal of the American Dietetic Association*, 9:1189-1197, 1987.

Anderson, R. A., y cols., «Chromium Supplementation of Human Subjects: Effects on Glucose, Insulin, and Lipid Variables», *Metabolism*, 32: 894-899, 1983.

Anti-Aging Therapeutics, vols. 2-6, A4M Publications, Chicago, IL, 1999-2004 (CD ROM).

Baker, Sidney McDonald, en colaboración con Karen Baar, *The Circadian Prescription*, Perigee Books, Nueva York, 2000.

Balch, James F., Balch, y Phyllis A., *Recetas nutritivas que curan*, Océano Difusión Editorial, Barcelona, 2006.

Barbul, Adrian, y cols., «Arginine Stimulates Lymphocyte Immune Response in Healthy Human Beings», *Surgery*, 90:244-251, 1981.

«Be Your Best Nutrition After Fifty», American Institute for Cancer Research, Washington, DC, 1988.

Borek, Carmia, *Maximize Your Health-Span with Antioxidants*, Keats Publishing, New Canaan, CT, 1995.

Bowman, Barbara, «Acetyl-Carnitine and Alzheimer's Disease», *Nutrition Review*, 50:142-144, 1992.

Brody, Jane, «Restoring Ebbing Hormones May Slow Aging», *New York Times*, 18 de julio de 1995.

Caragay, Alegria B., «Cancer-Preventive Foods and Ingredients», *Food Technology*, 46:65-68, abril de 1992.

Cerda, J. J., y cols., «The Effects of Grapefruit Pectin on Patients at Risk for Coronary Heart Disease without Altering Diet or Lifestyle», *Clinical Cardiology*, 9:589-594, 1988.

Chen, K. J., y Chen, K., «Ischemic Stroke Treated with Ligusticum Chuanxiong», *Chinese Medical Journal*, 10:870-873, octubre de 1992.

Chopra, Deepak, *Cuerpos sin edad, mentes sin tiempo*, Ediciones B, Barcelona, 2002.

——, *Rejuvenecer y vivir más: diez pasos para revertir el envejecimiento*, Ediciones B, Barcelona, 2002.

——, *The Book of Secrets: Unlocking the Hidden Dimensions of Your Life*, Harmony, Nueva York, 2004.

«Chronic Stress Is Directly Linked to Premature Aging of the Brain», National Institute on Aging Research Bulletin, octubre de 1991.

Cole, Stephen, «CoQ-10 and Life Span Extension», *Journal of Longevity Research*, 1(5):221-223, 1995.

Cryer, Sibyl, «New Music and Stress Reduction Technique Increase Anti-aging Hormone—DHEA», Institute of Heartmath, pp. 1-2, 19 de julio de 1995.

Cutler, Richard G., «Antioxidants and Aging», *American Journal of Clinical Nutrition*, 53:373S-379S, 1991.

Dadd, Debra Lynn, *The Non-Toxic Home: Protecting Yourself and Your Family from Everyday Toxins and Health Hazards*, Jeremy P. Tarcher, Inc., Los Ángeles, 1986.

«Diet and Cancer», American Institute for Cancer Research Information Series, 1992.

«Diet, Nutrition, and Prostate Cancer», American Institute for Cancer Research Information Series, 1991.

Dilman, V., y cols., «The Neuroendocrine Theory of Aging and Degenerative Disease», Center for Bio-Gerontology, Pensacola, FL, 1992.

Duke, James A., «An Herb a Day: Clubmoss, Alias Lycopodium Alias Huperzia», *Business of Herbs*, pp. 5-8, enero/febrero de 1989.

——, *The Green Pharmacy Anti-Aging Prescriptions: Herbs, Foods, and Natural Formulas to Keep You Young*, Rodale Books, Emmaus, PA, 2001.

Evans, W. J., «Exercise, Nutrition and Aging», Symposium: Nutrition and Exercise, *Journal of Nutrition*, 122:796-801, 1992.

Evergreen Secrets: You Can Live to 120, Taiwan TV Media Company, Taipei, Taiwan, 1989.

Farlow, Christine, *Dying to Look Good: The Disturbing Truth About What's Really in Your Cosmetics, Toiletries and Personal Care Products*, KISS for Health Publishing, Escondido, CA, 2001.

Feldman, Henry A., y cols., «Impotence and Its Medical and Psychosocial Correlates: Results of the Massachussetts Male Aging Study», *Journal of Urology*, 151:54-61, enero de 1994.

Fiatarone, Maria, O'Neill, Evelyn F., y Ryan, Nancy Doyle, «Exercise Training and Nutritional Supplementation for Physical Frailty in Very Elderly People», *New England Journal of Medicine*, 25:1769-1775, 23 de junio de 1994.

Ford, Norman, *Lifestyle for Longevity*, Para Research, Glucester, MA, 1984.

Gaby, Alan R., «DHEA: The Hormone That Does It All», *Holistic Medicine*, pp. 19-22, primavera de 1993.

«Garlic, Tomatoes and Other Produce Fight Nitrosamine Formation», *Science News*, 145:190.

«Ginger and Atractylodes as an Anti-inflammatory», *HerbalGram*, 29:19, 1993.

Gordon, James S., *Comprehensive Cancer Care: Integrating Alternative, Complementary and Conventional Therapy*, Perseus Books Group, Nueva York, 2000.

——, *Manifiesto para una nueva medicina: una guía de la colaboración terapéutica y la sabia utilización de las terapias alternativas*, Paidós Ibérica, Barcelona, 1997.

Graf, Ernst, y Eaton, John W., «Antioxidant Functions of Phytic Acid», *Free Radical Biology and Medicine*, 8:61-69, 1990.

Haas, Elson M., *La dieta desintoxicante*, RBA Libros, Barcelona, 1998.

——, *La salud y las estaciones*, Edaf, Madrid, 1983.

Hayflick, L., *Cómo y por qué envejecemos*, Herder, Barcelona, 1999.

«Herbs and Spices May Be Barrier Against Cancer, Heart Disease», *Environmental Nutrition*, pp. 54-57, junio de 1993.

Hobbs, Christopher, y Foster, Steven, «Hawthorn: A Literature Review», *HerbalGram*, 22:9-33, primavera de 1990.

Inlander, Charles B., y Hodge, Marie, *100 Ways to Live to 100: How to Live a Century*, People's Medical Society, Allentown, PA, 1992.

Jain, Adesh K., y cols., «Can Garlic Reduce Levels of FERUM Lipids? A Controlled Clinical Study», *American Journal of Medicine*, 94:632-635, junio de 1993.

Jenson, Bernard Anderson, y Anderson, Mark, *Empty Harvest: Understanding the Link Between Our Food, Our Immunity, and Our Planet*, Avery Publishing Group, Nueva York, 1990.

Johnston, Carol S., Meyer, Claudia, y Srilakshmi, J. C., «Vitamin C Elevates Red Blood Cell Glutathione in Healthy Adults», *American Journal of Clinical Nutrition*, 58:103-105, 1993.

Kamikawa, Todashi, y cols., «Effects of Coenzyme Q10 on Exercise Tolerance in Chronic Stable Angina Pectoris», *American Journal of Cardiology*, 56: 247-251, 1985.

Kaufman, Richard C., *The Age Reduction System*, Rawson Associates, Nueva York, 1986.

Keough, Carol, *The Complete Book of Cancer Prevention*, Rodale Press, Emmaus, PA, 1988.

Khan, A., y cols., «Insulin Potentiating Factor and Chromium Content of Selected Foods and Spices», *Biologic Trace Element Research*, 3:183-188, marzo de 1990.

Klatz, Ronald M., y Goldman, Robert, *Stopping the Clock*, Keats Publishing, New Canaan, CT, 1996.

Klatz, Ronald M., y cols., «Cellular Phone Radiation and Potential Risks to the human Brain: A Review of Scientific Literature», *Anti-Aging Medical News*, pp. 1-12, invierno de 2002.

Kotulak, Ronald, y Gorner, Peter, *Aging on Hold*, Tribune Publishing, Nueva York, 1992.

Kronhausen, E., Kronhausen, P., y Demopoulos, H., *Formulas for Life*. William Morrow, Nueva York, 1989.

Lipkin, Richard, «Wine's Chemical Secrets», *Science News*, 144:264-265, 23 de octubre de 1993.

McCaleb, Rob, «Astragalus», *Herb Information Green Paper*, Herb Research Foundation, 5 de mayo de 2003.

McGraw, Phillip C., *Tú importas: cómo recrear la vida desde el interior*, Kairós, Barcelona, 2005.

Merimee, T. J., y cols., «Arginine-Initiated Release of Growth Hormone: Factors Modifying the Response in Normal Men», *New England Journal of Medicine*, 280 (26):1434-1438, 1969.

Mindell, Earl, *Earl Mindell's Anti-Aging Bible*, Fireside, Nueva York, 1996.

«Mining for Toxic Minerals Hidden in Our Diets», *Environmental Nutrition*, 15(3):32-34, marzo de 1992.

Nelson, M., Fisher, E., Dilmanian, F., Dallal, G., y Evans, W., «A 1-Year Walking Program and Increased Dietary Calcium in Postmenopausal Women: Effects on Bone», *American Journal of Clinical Nutrition*, 53: 1304-1311, 1991.

Ni, Hua-Ching, *El Tao de la vida cotidiana*, Oniro, Barcelona, 1998.

——, *Enrich Your Life with Virtue*, Seven Star Communications, Los Ángeles, 1999.

——, *Harmony: The Art of Life*, Shrine of Eternal Breath of Tao/College of Tao and Traditional Chinese Healing, Los Ángeles, 1991.

——, *Power of Natural Healing*, Seven Star Communications, Los Ángeles, 1990.

——, *Tao: The Subtle Universal Law and the Integral Way of Life*, Seven Star Communications, Los Ángeles, 1998.

——, *The Complete Works of Lao Tzu: Tao Teh Ching and Hua Hu Ching*, Seven Star Communications, Los Ángeles, 2000.

——, *Workbook for the Spiritual Development*, Seven Star Communications, Los Ángeles, 1995.

Ni, Hua-Ching, en colaboración con Ni, Daoshing, y Ni, Maoshing, *Strenght from Movement: Mastering Chi*, Seven Star Communications, Los Ángeles, 1990.

Ni, Hua-Ching, y Ni, Maoshing, *The Power of the Feminine*, Seven Star Communications, Los Ángeles, 1990.

Ni, Maoshing, *Chinese Herbology Made Easy*, Seven Star Communications, Los Ángeles, 2003.

——, *The Yellow Emperor Classic of Medicine: A New Translation of the Neijing Suwen with Commentary*, Shambhala, Boston, 1995.

——, y McNease, Cathy, *El Tao de la nutrición*, Océano Difusión Editorial, Barcelona, 2002.

Oschman, James L., *Energy Medicine: The Scientific Basis*, Churchill Livingstone, Nueva York, 2000.

Pitchford, Paul, *Healing with Whole Foods*, North Atlantic Books, Berkeley, CA, 2002.

Reid, Daniel, *El Tao de la salud, el sexo y la larga vida*, Urano, Barcelona, 2003.

Rothemberg, Ron, y Becker, Kathleen, «Forever Ageless», HealthSpan Institute, Encinitas, CA, 2001.

Rudman, D., y cols., «Effects of Human Growth Hormone in Men over 60 Years Old», *New England Journal of Medicine*, 323:1-6, 1990.

Rusting, Ricki L., «Why Do We Age?», *Scientific American*, 267(1):131-141, diciembre de 1992.

Sears, Barry, *Rejuvenecer en la zona*, Urano, Barcelona, 2001.

Selkoe, Dennis J., «Aging Brain, Aging Mind: Structural and Chemical Changes», *Scientific American*, 367(3):134-142, septiembre de 1992.

Shepard, Roy J., «Exercise and Aging: Extending Independence in Older Adults», *Geriatrics*, 48(5):61-64, mayo de 1993.

Simopoulos, Artemis P., «Omega-3 Fatty Acids in Health and Disease and in Growth and Development», *American Journal of Clinical Nutrition*, 54:438-463, 1991.

Smith, Timothy J., *Renewal: The Anti-Aging Revolution*, St. Martin's Press, Nueva York, 1999.

Smolensky, Michael, y Lamberg, Lynne, *The Body Clock Guide to Better Health*, Henry Holt and Company, Nueva York, 2000.

Stern, Yaakov, y cols., «Influence of Education and Occupation on the Incidence of Alzheimer's Disease», *Journal of the American Medical Association*, pp. 1004-1010, 6 de abril de 1994.

Sun, Jian Ming, y cols., *Secrets of Longevity Through Chinese History*. Tienxe Publisher, Xian, China, 1989.

Tkac, Debora, ed., *Life Span Plus*, MJF Books, Nueva York, 1990.

Travis, John W., y Ryan, Regina Sara, *Libro completo de salud y bienestar*, Gaia Ediciones, Móstoles, Madrid, 1999.

Tucker, Don M., y cols., «Nutrition Status and Brain Function in Aging», *American Journal of Clinical Nutrition*, 52:93-102, 1990.

«23-Year Study of Middle-Age Men in Hawaii Confirms: Physical Activity Will Lower Risks of Heart Disease», *News from the American Heart Association*, pp. 2540-2544, 13 de junio de 1994.

Ullis, Karlis, *Age Right: Turn Back the Clock with a Proven, Personalized, Anti-Aging Program*, Simon & Schuster, Nueva York, 1999.

«Nutritive Value of American Foods in Common Units», Departamento de Agricultura de Estados Unidos, Agriculture Handbook n.° 456, 1975.

Walford, Roy L., y Walford, Lisa, *The Anti-Aging Plan: The Nutrient-Rich, Low-Calorie Way of Eating for a Longer Life — The Only Diet Scientifically Proven to Extend Your Healthy Years*, Marlowe & Company, Nueva York, 2005.

Warner, H. R., Butler, R. N., Sprott, R. C., y Schneider, E. L., *Modern Biological Theories of Aging*, Raven Press, Nueva York, 1987.

Wei-Hua, Jiang Shou, y Tang, Xi-Can, «Improving Effect of Huperzine A on Discrimination Performance in Aged Rats and Adult Rats with Experimental Cognitive Impairment», *Acta Pharmacologica Sinica*, 1:11-15, enero de 1988.

Weil, Andrew T., *Perfect health: The Complete Mind/Body Guide*, Harmony, Nueva York, 2001.

——, *¿Sabemos comer?*, Urano, Barcelona, 2001.

——, *Salud total en 8 semanas*, Urano, Barcelona, 1997.

——, *Salud y medicina natural*, Urano, Barcelona, 1998.

Whitaker, Julian, *Reversing Heart Disease*, Warner Books, Nueva York, 1985.

Wild, Russell, ed., y cols., *The Complete Book of Natural and Medicinal Cures*, Rodale Press, Emmaus, PA, 1994.

Williams, Gurney, «Mind, Body, Spirit: Portable meditation, Stress Relief for Those on the Go», *Longevity*, p. 72, mayo de 1993.

Yao, Congli, y Liu, Ming, *Health Preservation and Longevity*, Popular Science Press, Beijing, China, 1985 (en chino).

Yeager, Selene, y cols., *New Foods for Healing*, Rodale Press, Emmaus, PA, 1998.

Ahang, Rongcai, ed., *Eldercare and Longevity*, Fujian Science and Technology Press, Fujian, China, 1987 (en chino).

Agradecimientos

Son innumerables las personas que han contribuido a la publicación de esta obra. En primer lugar, sin el apoyo incondicional y comprensión de mi esposa, Emm, y de nuestros hijos, Yu-Shien Michelle, Yu-Shing Natasha y Yu-Kai Nicholas, durante el período de redacción del libro, en el que sobrellevaron que no estuviera presente en nuestras interacciones cotidianas, este proyecto no habría podido llegar a buen puerto. Soy afortunado por tenerlos en mi vida.

Los datos sobre las personas de edad avanzada que recopilé durante los veinte últimos años seguirían olvidados en el cajón de mi escritorio de no haber sido por el insistente esfuerzo de Stuart Shapiro, que propició mi estrecha colaboración con Laurie Dolphin, la relación que dio forma a este libro. Gracias a los dos por creer en mí.

Quiero expresar mi más sincero agradecimiento a Laurie Dolphin, colaboradora y animadora a lo largo de todo el camino, que me ayudó a coordinar todos los aspectos de la obra de principio a fin, y cuyo talento profesional ha quedado sobradamente de manifiesto en el exquisito diseño del libro.

Estoy en deuda con Jodi Davis, nuestra editora en Chronicle Books, que sugirió el formato y orientó nuestra visión para la edición final del libro. Gracias por su paciencia al tener que adaptarse constantemente a mi ajetreada agenda y controlar el proyecto a través de los múltiples cambios y modificaciones.

Gracias muy especialmente a Elizabeth Bell, nuestra coeditora, que fue mucho más allá de lo normal en su trabajo y reescribió minuciosamente muchos de los consejos para que el libro resultara más fluido. Gracias también a Allison Meierding, ayudante de Laurie, cuya infatigable dedicación en el proyecto hizo posible su finalización.

Quiero expresar mi agradecimiento a los doctores Andrew Weil, Deepak Chopra y James Gordon, por su trabajo pionero, que contribuyó muy especialmente a la divulgación del movimiento de la medicina natural. Sus voces individuales y colectivas han hecho posible la integración de las tradiciones de la salud orientales y occidentales, así como la creación de un nuevo paradigma de salud y bienestar en Occidente.

Muchas gracias a las personas de edad avanzada y los pacientes que compartieron generosamente conmigo sus historias y secretos personales de longevidad. Gracias asimismo a la dilatada y rica tradición de los taoístas chinos, representada por maestros tales como el Emperador Amarillo, Lao Tse y Ge Hong, cuya búsqueda de la inmortalidad durante 8.000 años fructificó en incontables secretos de longevidad, muchos de los cuales se han incluido en este libro.

Por último, gracias al divino origen universal y a mis padres, por la génesis de mi vida y sus decididos esfuerzos en la recuperación de mi experiencia próxima a la muerte cuando era niño. Sus enseñanzas me inspiraron a buscar el conocimiento y la sabiduría de la salud, bienestar y longevidad para beneficio del mundo.

Dedicatoria:

Este libro está dedicado a quienes buscan una vida mejor,

más larga y más feliz.